なまけ者のさとり方

タデウス・ゴラス 著
山川紘矢・亜希子 訳

PHP文庫

○本表紙図柄＝ロゼッタ・ストーン（大英博物館蔵）
○本表紙デザイン＋紋章＝上田晃郷

訳者まえがき

本書、『なまけ者のさとり方』は、アメリカでは一九七二年に自費出版により、また、日本では一九八八年に地湧社より単行本として発行されました。英語版では八〇ページ、日本語版でも一二三ページ、しかも装丁はいたって簡素な目立たない本でしたが、どちらも発売と同時に多くの人々に愛され、読み継がれています。日本では発行から十七年経った今でも、ロングセラーとして根強い人気を保っています。

このたび、ＰＨＰ研究所より文庫版を出版できることになり、これまでに増して多くの皆さんにお届けできるようになりました。訳者として、こんなに嬉しいことはありません。

この本に私達が出会ったのは、一九八五年、アメリカ、ワシントンＤＣ

に住んでいた時のことです。その頃、アメリカでは日本に先んずること二十年ほど、いわゆる精神世界やニューエイジと呼ばれる動きが盛んでした。一九六〇年代、ベトナム戦争をきっかけに、アメリカでは新しい生き方を探る動きが起こり、人間性の回復を目指すさまざまな試みが行なわれるようになりました。この本の著者、タデウス・ゴラスもその動きの中で新しい生き方を模索した一人です。さまざまな体験を経た後、彼がたどり着いたのは、「理由はいらない。ただ、愛しなさい。愛だけが唯一安全で完全なさとりへの道である」という結論でした。この本は彼がその思いを込めて書いた、優れた精神世界の入門書であり、究極の真理を語った本であるということができると思います。

この十七年間に世界も日本も大きく変化しました。社会や経済の変化ももちろんのことですが、最も大きく変化しつつあるのは、私達一人一人の意識ではないかと思います。『なまけ者のさとり方』が発行された一九八八年当時は、まだ、心や魂の問題は人々の関心を引くものではありませんでした。「自分自身を愛する」「すべては同じものからできている一つのものである」「すべては自分の中にあり、自分自身が作り出している」といった事柄は、ほとんど語られることがない時代でした。それがバブルの崩壊と共に人々の意識が自分自身の内側へと向かうにしたがって、次第に「ありのままの自分を愛そう」というメッセージが広まっていきました。今では、テレビや新聞でも、こうした言葉を聞いたり見たりするようになっています。

そして今、二十一世紀が始まり、しかもイラク戦争やアフリカや南米での苦難が続くなか、ますますこのメッセージは大切になりつつあります。もし、私達が本当に平和な世界を欲しているならば、まず自分の世界を平和なものにする必要があるからです。自分自身を愛し、許し、暖かい波動でつつむ、そうすれば、私達の住む世界は愛に溢れたやさしく平和な世界になるのです。そして、その輪を広げていくときに、どんなことが起こるか、私達はいま、その実験をしているのかも知れません。

この本を読んで、もしやさしさや平和を感じるようならば、ぜひ、いつもハンドバッグやポケットにそっと忍ばせておいて下さい。それだけで、この本のやさしさや平和に包まれることができると思います。そして、時々、ぱっと開いてみましょう。そこにはきっと、その時のあなたに必要な言葉が、あなたを元気付けてくれる言葉があるはずです。そして、この本とタデウス・ゴラスの暖かい無条件の愛が、常にあなたに注がれることでしょう。

ありのままのあなた自身を許し、認め、愛する。それを繰り返しているうちに、いつのまにか、私達は今までに体験したことのない平和で愛に満ちた世界へと、導かれていくのです。この小さな本を手にとっていただいたことを深く感謝します。

二〇〇四年四月

山川紘矢
山川亜希子

今は亡き父、バレンタイン・ゴラスに捧げる。

また、ベルチャー通りの「イエロー・サブマリーン」のビル艦長とリズ、パトリス、キャシー、バーニー、フラン、イアン、ヘレン、ジョー、ダンそしてその仲間みんなに感謝します。

はじめに

　私はなまけ者です。世間でよくいわれているように、さとりを開くためには何年も修行が必要だとか、人一倍の努力や厳しい自己抑制、自己鍛練をしなければならないというのなら、さとりは私には関係がなかったことでしょう。そのうえ、食べ物に気をつけなければいけないとか、たばこは体に悪いからやめろとか、道徳にかなった生活をしなくてはいけないというようなことになれば、なおさらのことです。さとりとは、これらのこととはまったく関係がないと、私はこの本でいいたいと思っています。本来なまけ者の私がこの本を書く理由は、さとり方の秘訣を人にいちいち説明する手間を、省きたいと思ったからです。

この本を読んで、少しは自分のことを見直して気分が良くなる人もいるかもしれません。さとりとはどんな状態なのか、どうすればさとれるのかを知りたければ、ぜひ、この本を読んで下さい。

これから私が話すことは、私なりの人生ゲームのルールともいうべきことです。近頃、人々が急速に目覚め始め、時代が大きく変わろうとしています。同時に、目覚めた人は大部分、自分のさとりの体験は特別なものだと思い込んでしまっています。真実を知ったという感覚だけでは、さとりとはいえません。自分は究極の真理を知っている、なんて振りをする気は、私にはさらさらありません。人生においてつらい時、苦しい時、どうしようもない時に、誰にでも役に立つ簡単なものの見方、姿勢について書いてみようと思います。あなたが信じようと信じまいと、こうしたものの見方は実際、役に立つということを、「宇宙とは何か」という説明から始めて書くつもりです。

　この宇宙は実に壮大で複雑きわまりなく、もし、さとるためにこのような本がどうしても必要だとしたら、一生かかっても私達はさとることはできないでしょう。しかし一方では、宇宙はものすごく単純に設計されていますから、私達が迷子になったり、不幸になったりしてしまうような仕掛けは、何もないのです。一見、宇宙は複雑に見えますが、この宇宙で私達の存在を自分でコントロールするのは、とてもやさしいのです。今まで、何回もこの本を書く計画を私は中止してきました。みんながこんなことを知らないのは、誰もこのことを知りたくないからだ、と考えたからです。でも、やっと書かない理由もなくなったので、書くことにしたのです。

　私自身が人生において再び行きづまり、途方に暮れた時に読んでみたいと思うようなものを、私は書いてみるつもりです。どうしようもないつらい状態に陥った時、何回も私は考えたものです。こんな状態の人に、なんていってあげれば少しはその人の気持ちは楽になるのだろうか？　この本の内容が役に立つかどうかは、そんな時にテストしてみればよいのです。この本には単なる美辞麗句《びじれいく》のたぐいは一切ありません。みな実際に役に立ち、信頼していいものばかりです。すでに私を含めて何人もの人が、この本に書いてあることを実行し、ひどい落込みから安全に抜け出しています。そして、どんなにひどい状態の時でも、すぐに思い出せるように、ごく短い文章で最後にまとめてみました。

第一章では「宇宙が何からできているか」について、ごく簡単に説明しています。そして、そのあとの章では、第一章に述べた視点に基づいて、私達の人生について論じています。この考え方はとても大きな広がりのある考え方で、すべての知識を包括《ほうかつ》しているともいえます。私はこの考え方を身につけるために、何年もかかりました。ですから、この本を読んだ人が、「なるほど、わかった！」と即座に私のいっていることを受け入れて下さるとは、私も思ってはいません。読者のみなさんにお願いしたいのは、この考え方を一つのゲームだと思っていただきたい、ということです。この考え方がどんな効果をもたらすかよく見て、あなた自身の経験と照らし合わせてチェックしてみて下さい。

宇宙とはいったい何なのだろう？　私が見ているものは本当なのだろうか？　物質と精神を結ぶ橋は存在するのだろうか？

みなさんと同じように、私は何年もこのような疑問に取り組んできました。その結果得られた結論にも、この本で触れています。おそらく、この結論はあなた自身が自分の体験と照らし合わせ、実際に証明してこそ、あなたにとって、意味のあることとなるのだろうと思います。第一章に書いてあることだけでも、いったいどういう意味なのかわかるまで、時間がかかるかもしれません。しかし、この本は手軽な人生のガイドブックの欲しい人にも、それなりに役に立つと思います。

私の本を読んですぐ、すべてがわかったという人がいるとは、正直のところ期待していません。しかし、これを読んで、前よりもなぜか気持が楽になったとか、幸せになったという方が一人でもいて下されば、私は同じことをあと千回、書いてもよいと思っています。この本のバイブレーションが、あなたにとって快《こころよ》いものであることを祈ります。

なまけ者のさとり方◉目次

第一章——私達は誰か

「私達はみな平等です。そして宇宙とは、私達のお互い同士の関係です。宇宙はただ一種類の実体からできていて、その一つひとつが生命を持ち、一つひとつが自分の存在の仕方を自分で決めています」

以上のことさえわかれば、誰でもこの本を理解できるのはもちろん、自分で本を書くこともできるでしょう。私のこれからの話はすべて、この最初の文章に基づいています。ですから、途中でわからなくなったら、まずこの最初の文章に戻り、自分でじっくり考えてみて下さい。

この宇宙はそれが何であるかはともかく、ただ一種類のものからできています。それが何かは、実は定義できません。それに、ここではせんさくする必要もないのです。宇宙には一種類のものしか存在しないと仮定すると、はたしてこの世界をうまく説明できるのかどうかを見てゆくのが、この本の目的なのです。

一つひとつの生きものの基本的な営みは、拡張することと収縮することです。広がることと縮むこと、といってもよいでしょう。拡張した生き物は「スペース」となって四方に浸透してゆきます。収縮した生き物は濃縮し、「かたまり」になります。私達は個人としてもグループとしても、「スペース」「エネルギー」「かたまり」のうちのどれかになって見えます。そしてそれは、私達が自分で選んだ拡張と収縮の割合によって決まってきます。また、その時にどんなバイブレーション（振動波）を私達が出しているかによっても決まってくるのです。それぞれの生き物は自らのバイブレーションを、自分でコントロールしているのです。

完全に拡張した生き物は「スペース」、つまり空間状態となります。拡張しているとどこにでも浸透できますから、私達は他の拡張している生き物と同じスペースに存在することができます。実際、宇宙にあるすべてのものが一つのスペースになることも可能なのです。

この広がりを私達は意識の広がり、理解の深化、あるいは魂の広がり等として体験しますが、その体験をどう呼ぶかは、各人の自由です。完全に広がりきった時、私達は完全な意識の拡大、つまり、すべてのものと一体となった感覚を体験します。そのレベルに達すると、他のどんなバイブレーションにも、他の個体のどのような行動にも、まったく抵抗しなくなります。時間を超えた至福感、意識や知覚、感覚の無限の広がりを味わうのです。

この状態を「スペース」と表現しますが、このスペースは私達の誰もが到達できる体験です。ただ、この地上において、その状態を正確に説明することは難しいのです。なぜなら、この感覚は無限だからです。「スペース」と定義した瞬間、それは限界のあるものになってしまうからです。また、次のように説明してもよいのかもしれません。すべてと一体化した魂は、あらゆることを体験することができます。そして、すべてと一体化した魂とは、無限に広がった状態にいる時の私達のことなのです。また、こう理論的にいってもよいでしょう。神は御自分自身よりも不自由なものは何一つ、お作りになりませんでした。でも、御自分の複製をお作りになれば、その複製を通してこの宇宙を楽しむことができると知っていました。実は、宇宙のすべての存在は、神の思いによって作られた神の複製なのです。

どんな言葉を使うかは問題ではありません。私達は存在し、宇宙も存在しているのです。そして、この拡大と収縮の理論を、私達人間の現実の世界にあてはめて、正しいかどうかテストしてみることもできるのです。この理論は原子や素粒子《そりゅうし》の学問分野でも、すべてあてはまります。

人は収縮しきっていると、かたまりとなり、完全に内にこもってしまいます。収縮すればするほど、彼は他の人と同じスペースを共有することができなくなります。そして、恐れ、痛み、無感動、憎しみ、悪意、その他ありとあらゆる否定的な感情を経験するのです。極端な場合は、完全に気が狂ったように感じ、あらゆる人、あらゆるものに抵抗し、自分の意識をまったくコントロールできないような気持になってしまいます。もちろん、こうした感情はかたまりのレベルのバイブレーション特有のもので、彼がそこから広がり、自分の考えや、見たり感じたりしていることにさからうのをやめさえすれば、いつでもその状態から抜け出せます。

人が拡張と収縮を繰り返している時、彼はエネルギー状態にあります。私の想像では、中間の地点、つまり、五〇パーセント拡張し、五〇パーセント収縮している状態にいると、人は論理的で自己中心的でない、いわばエゴのない状態で、予測可能な行動の仕方をします。これは物理学でいうエネルギーのゼロ・ポイントであり、私達が広がって、より高い意識のレベルに昇ってゆく時に通過する、エゴがなくなる点でもあります。

この場合の「エネルギー」とは、客観的に測定できる量的なものではありません。スペースとか、かたまりというのと同じように、生命ある個体の一つの状態を現しているのです。エネルギー状態にいる人は、周囲の人々に対して、ドミノゲームのように、ある一定の反応の仕方を示します。スペース状態の人に会うとエネルギー状態にいる人は高揚感を感じ、バイブレーションが細やかになり、自分が自由になったように感じます。一方、かたまり状態の人に会うと、彼はエネルギーがなくなったように感じ、バイブレーションが粗くなり、圧迫感や混乱を感じ始めます。

この宇宙は、拡張と収縮の数限りない組合せと、あらゆる振動数で振動している無数の個体が作り出している、壮大な調和そのものなのです。

それぞれの振動数、拡張と収縮の組合せには、それに固有な感情や思想が存在しています。また、それぞれのレベルによって、人間同士がどのように関わり合っているかについても、違って見えてくるのです。こういうことを書くのは、筆が重く、奇妙な気がして、これ以上書きたくないと思ってしまうほどです。でも、私達の目的はこの混乱の中でも自分は自由に動けるのだと気づくための、基本的な態度を見きわめることです。それさえわかれば、いきなりさとることだって、できるのです。

この宇宙には私達臆病者しかいない、ということを、私達は肝に銘じておくべきです。この宇宙全体、私達と同じものから成立しているのです。原子を作っている粒子は、みんな生きています。分子や細胞は、そうした生きているものの集合体です。エネルギーとは、いっせいに振動している私達の集り全体のことです。スペースとは、完全な幸福感に浸り切っている、私達の仲間の集りなのです。

生命のあるものとないものとの間にも、まったく何の違いもありません。両方とも、同じ生命を持った粒子からできているからです。両方とも、「かたまり」から「エネルギー」に変わることができますし、「エネルギー」は「スペース」に変わることができます。そして、その逆も可能です。自分達の仲間がかたまりに見えたり、エネルギーに見えたり、スペースに見えたりするのは、自分がどれだけ意識を縮こませて、かたまりの状態にいるかによって決まります。私達は必ず、自分のバイブレーションのレベルに応じて、ものの見え方や体験をしているのです。

そして、このルールは私達のすべてにあてはまります。これは自分以外の人が作ってくれたルールではなく、あなたの内部にはじめからそなわっているものなのです。つまり、「私達はすべて同等だ、誰でも、すべてのことを体験し、行なう可能性を秘めている」という真理から導かれるルールです。すべての人やものは平等だ、という原則に基づいた法則にさえ従っていれば、私達は自分の好きなように、何をしてもかまわないのです。

そして、その場合、「愛」が一番大切な法則です。「愛とは、他の人と同じスペースにいる」という行為です。つまり、愛とは、私達と同じように、きわめて具体的なものなのです。愛とは、これこれこういうものだ、と定義できるような狭いものではなく、望むらくは、私達が全身全霊でもって行なうべき行為なのです。

たぶんずいぶん大勢の人達が、今の自分の状態を不満に感じているのではないかと思います。しかし、私達がそのような状態にいるのも、自分で決めて、愛を広げたり、愛をひっこめたりした結果なのです。

どんな頭脳と体を持ち、どんな社会にどの家族の一員として、いつの時代に生まれるかさえ、実はあなたがすべて、自分で決めて生まれてきています。あなた以外の誰も、あなたに対して何一つ手出しをしていないのです。それに、あなたは他人から何かを強制されたことだって、一度もありません。毎日の一瞬一瞬の体験に、完璧な宇宙正義が実現しています。私達はもっとのんびりしてもよいのです。この宇宙には、秘密など何一つありませんし、誰かのことだけ、忘れられてしまったり、見捨てられてしまったりすることは一切ないからです。

私達はすべて、同じ種類の存在であり、愛や意識を広げることもできれば、縮こまって頑《かたく》なになることもできるのです。そして、私達がなすべきことはただ一つ、愛や意識を広げるということだけです。あなたの心や体、まわりのものや人々のすべてに、豊かに愛をこめてあなたの意識を向けてあげて下さい。そして、そのすべてを認め、受け入れてあげて下さい。

愛を広げるということは、この宇宙に存在するすべての人々が、今、すぐにでもできることとです。意識を広げれば、私達は天国にゆけますし、愛を広げれば、私達は自由になれます。それ以外のことは、何も必要ではありません。善行を積んでみたり、逆に悪事を働いたりするのは、私達にとって、ほんの二次的なことにすぎないのです。あなたが今、どんなことをしていようとも、そうしている自分をそのまま丸ごと愛してあげて下さい。どんなことを考えていようと、そんなことを考えている自分を愛してあげて下さい。愛という点について、自分の態度や行動を変えてゆけば、それですべてよいのです。もし、愛するという気持がどういうものかわからなければ、それをわからない自分を愛すればよいのです。私達がお互いに送り合う愛よりも大切なものは、この世界にはありません。しかも、それが目に見えるような形で表現されているかどうかは、問題ではないのです。

精神的霊的に自分がよい状態にいるかどうかなどと心配するのは、無益です。もちろん、心配したければ勝手に心配したってかまいません。でも、今のあなたの状態を愛せるようにならないと、あなたは今より高い状態にゆくことはできないのです。

どんな精神状態にいようと、この宇宙のどこにいようと、あなたに与えられている選択は一つだけです。つまり、あなたの意識を広げるか、縮めるか、そのどちらかしかないのです。それも、今、あなたがいるところから始めるしかありません。今のあなたの状態に、何も悪いところや、まちがったところはありません。単に、それは私達に与えられている無限の可能性のうちの一つに、たまたまあなたがいる、ということだけなのです。あなたの今の状態に、私も陥るかもしれません。逆に、今の私のような状態にあなたもなれるのです。

さとりの境地と程遠い状態にいるとしても、それが今の自分なのです。私達がやっていることは、もともと、私達の内部にあることが表に出てきているだけですから、たとえ、今それをしていなくても、私達の内部にそれがある、という状態は変わりません。ですから、現に自分がやっていることや考えていることを否定したり、批判したり、それに抵抗したりしないことです。それを超えればよいのです。そんな時、私は次の言葉を思い出すことにしています。

「これは常に、私の中にあるのだ。これを完全に広がった状態で味わうこともできるのだ」

宇宙の大きな流れを私達は信頼すればよいのです。もし、私が説明した愛の法則が真実であれば、必ず効果があるはずです。私達がその法則を認めようと否定しようと、意識しようとしまいと、言葉に出そうと出すまいと、うまく働くはずです。真実の愛とは、あなた自身が自分のために行なう行為なのです。そして、あなたの体験に照らして、その結果を判断して下さい。こうした情報は常に宇宙に存在していますから、これを実現するために本などは本当は必要ないのです。いつも、あなたのうちに、すべてがあり、あなたはすべてをすでに知っているのです。

したがって、あなたが信じていることに反対するために、私はこの本を書いているわけではありません。愛の神秘はあらゆる理屈を超えたところにあります。私達はみんな平等だ、ということはもうわかりましたね。つまり、私達はみんな、誰か他の人から助けてもらわなくても、一人でやってゆけるのです。みんな、ああしろ、こうしろと人に言われなくても、あれこれ人からしてもらわなくても、一人でやってゆけるのです。それがわかったら、やはり、人々にできる限りやさしく尽し、あなたの中の最も良いものをあげて下さい。私は愛が必要だった時、人からその愛をもらったことがありました。それを今、あなた方に伝えているのです。私にそんな時があったのですから、きっと他の人も同じような時があると思います。この本は、私からあなた方、兄弟姉妹たちへの手紙です。愛などうまく働かないと感じて落ち込んでいる時、「いや、やっぱり愛はうまく働くのだよ」という、愛のメッセージなのです。

これまでの考え方を、一度、引っくり返してみるのも、おもしろい頭の体操になります。つまり、かたまりから抜け出して自由になるにはどうすればよいか、どうすればさとれるかという問題のたて方は止めにしましょう。本当の問題は、あなたは完全に自由で、自分自身で何もかも決めている存在なのに、なぜ肉体の中に自分を閉じこめ、物質界だけでゲームをしているのだろうか、ということなのです。どうして、こんなゲームをしようと決めてしまったのでしょうか。どうして、そうしなければいけないと思い込んでしまったのでしょうか。

私は何回もスペース状態になったことがありますが、その時、さっとひらめいたことがありました。「スペースになるのがこんなに簡単ならば、また、元に戻って例のゲームを続けるのもいいな」たぶん、これが究極的な理由なのかもしれません。本当は、私達はみんな、スペースになるのがどんなにやさしいか、知りたくないのです。それに、今自分がやっているゲームをぶっ潰《つぶ》してしまう気もないのです。私達はみんなで、知らない振りをしたり、かくれんぼをして楽しんでいるのです。

物質界、つまり、この現実の世界は、一番こわい恐怖映画なのです。そしてみんな、恐怖映画が大好きなのです。もし、私達のバイブレーションのレベルから見た宇宙が幻想にすぎず、ほんの一部しか真実でないとすれば、恐れたり悩んだりせずに、もっと人生を楽しみ、愛した方がずっと利口だと思いませんか？

この地上で起こっていることを、何千万何億ものバイブレーションのレベルで、人はそれぞれ体験しています。恍惚《こうこつ》として幸せに満ちている人もいれば、暗くみじめな思いをしている人もいます。どのバイブレーションに合わせ、どのような体験を選ぶかは、完全にその人の自由です。自分自身の意識と愛と広がりさえ変えれば、すべては変わるのです。

宇宙は生命の集合体ですから、それぞれの存在は自分のバイブレーションと、自分と他者の関係を自分でコントロールしています。この宇宙には、修正しなければならないようなことは、何もありません。私達が宇宙のためにやってあげなければならないことは、何一つありません。宇宙は意識に満ちています。存在するすべてのものが、それ自身で完璧にやってゆけるのだと、信頼していればよいのです。どんな風に私達の目に映ろうと、愛は決して間違いを起こしません。私達の人間関係の法則は、物理の法則と同じように正確で、うそがないのです。

この法則の全部を私がすでに知っているとは思いません。しかし、私達はみんな、心のどこかで、自分は自分が値するだけの人生を得ているということを知っているのだと思います。

宇宙は無限で、すべてが一体で神聖です。あなたは宇宙のどこにいるのでしょう。自分にあまり厳しくしてはいけません。少しばかり、自分自身に愛をあげれば、その愛はどんどん大きくなってゆくでしょう。

第二章——ママ、僕、わかっちゃった！

さとるためには、何をしたらよいのでしょうか？　さとったかどうか、どうすればわかるのでしょうか？　さとりが深くなると、実際の生活にはどんな変化が起こるのでしょうか？

実は、さとるために前もってしなければならないことなど、何一つありません。

あなたがこれから体験する事柄は、すべてあなたの内部にあるのです。自分の好きな時にいつでも、そのままで、それも一瞬の内に、あなたは自分の内にすでに存在しているさとりに到達できるのです。

でも、急ぐ必要はありません。完全に広がった状態は、あなたの内にも外にもいつも存在しています。あなたは安全で心地よいスピードで、自分の意識を広げてゆけばよいのです。ここはあなたの家庭です。私達はみんな、宇宙という家族の一員なのです。

私達の道を邪魔するものは何もありませんが、大部分の人達は急にではなく、少しずつ段階的に意識を広げてゆくようです。同じような気持や感情を繰り返し体験しながら、私達はらせん状に上に昇ってゆくことが多いのです。何か大きな発見をして陶然となったあとには、たいてい新しい違う種類のネガティブな気持に襲われるものです。そしてまた、もう一つ、愛について学ばねばならなくなるのです。しかし、上にゆくにしたがって、ハードルを越えるのはやさしくなってゆくでしょう。

完全に意識が広がってスペース状態になっているということは、この宇宙にあるすべて、つまり、スペースになっていない限界のある個体の間のあらゆる関係をすべて知っているとか、意識しているということではありません。スペースであるということは、すべてのことを十分に意識しようと、すっかりオープンになって準備のできている状態のことなのです。つまり、完全に抵抗をやめ、いかなる思考も物も出来事も拒否しない、ということです。ですから、さとるためには、何か特別な考え方を身につけたり、特殊な体験をしたり、苦しんだり、身をつつしんだりする必要はありません。意識が広がっていれば、この宇宙に存在するすべてのものを体験できるのです。

たとえあなたがコチコチに意識を縮こませているとしても、あなたは本来自由で、自分で自分の状況を決めているのです。あなた以外の誰も、それが個人であれグループであれ、あなたのバイブレーションのレベルを左右することはできません。つまり、この宇宙には、あなたの自由意志に勝るものは何一つないのです。

ということは、物質的な世界はあなたに対して何の力も持っていない、ということでもあります。物質の世界、つまり、あなたが今住んでいる物質的な環境や状況は、あなたを誘惑したり堕落させたり、さとりを邪魔したりはしません。物質世界は、あなたに何一つ、影響を与えることはできないのです。

あなた自身が、どのレベルにあなたが生きるかを決める、唯一の存在なのです。あなたの心や気持は前もって決められているわけではありません。自分の意志に反して無理強いされていると感じたり、他からコントロールされていると感じるのは、あなたが自分をかたまりの状態にしているからであり、あなたが自分の意識を縮こませているからなのです。

スペースではない状態では、私達はある特定の存在だけが生命を持っていると認識しています。しかし、さとりが深まって、次第に他の存在に対する理解が進んでくると、ついには存在するもののすべてが生命を持っていて、互いに影響し合っている、ということが体験できるようになります。

他者を愛するのをやめてしまうと、私達は物質の世界に捉われ、次第に「かたまり」になってしまいます。反対に、人々に心を開き、すべて存在するものを愛してゆけば、世界は柔軟で住みやすいところになるのです。

さとりとは、現在の私達の意識の限界を少しでも広げる体験のことです。完全なさとりとは、私達は無限の存在であること、そして宇宙全体が生命を持っていることを知る、ということなのです。

こうしたことを書くのはとても難しいことなのですが、それは限界を打ち破る方法を限界のある言葉で話さなければならないからです。さとった状態とは、柔軟な意識の状態を保つということ、つまり、心を広く常にオープンにしておく、ということです。つまり、さとりとは、意識が広がってゆくプロセスそのものであり、どこか、特別の定義された状態に達するということではありません。

さとったあとにどのような生活をすべきだというような、正しい道など存在しません。こうでなくてはいけないとか、そんな状態ではいけないなどということはまったくありません。ただ、身も心も何もかも、自分自身で全体的であればよいのです。

では、自分自身で全体的である、とはどういうことなのでしょうか。それは、狭量で限界のある考え方に片寄らず、あらゆるものを受け入れ、自分の中に取り入れる気持を持っている、ということです。言いかえれば、ポジティブな面に焦点をあてれば、必ず、同時にネガティブな面を作り出している、ということを知っているということです。何かがわかった時には、それ以外のことについて、自分は無知であるということを認める、ということです。神聖な使命感を持ったならば、その裏側の罪と共に生き、その責任を受け入れてゆくということなのです。

それを拒否してしまうと、意識が縮まってしまいます。その結果、私達は頑なになり、かたまりのレベルの存在になってしまって、再びこの世に肉体を持って生まれかわってこなければならなくなるのです。自分で作り出してしまったネガティブなものを、そんなことは自分には関係ないと思ってしまうと、私達はそれをコントロールできなくなります。そのネガティブなものは私達の意志におかまいなく、私達の注意を引きはじめ、私達は罪と無知の世界に住まざるを得なくなるのです。

しかし、そのようなネガティブなものに対しても常にオープンで、一切抵抗しなければ、私達はそれにつきまとわれずにすみます。自分の中にみにくいものの存在を許してあげれば、私達は美しいものを自由に作り出すことができるのです。自分の愚かな部分を認めてやれば、私達はどんな高い知恵でも得ることができるようになります。

愛が最も気高く、最も神聖な行為であるのは、愛がその中に常に愛でないものまで包み込んでいるからです。

私達は何か起こるたびに、どうしてこんなことになってしまったのかと、思い悩んでいますね。でも、たいていの場合は、私達は何回も同じ状態を交互に繰り返しているだけなのです。修道僧のように、修行というネガティブな行為を私達が選んだとしましょう。その結果、ああ、効果があった、やってよかったと感じます。または逆に、酒に女、というような快楽を追い求めたとします。するといつかは、自分がみじめになってきます。そんな風に、良い状態と悪い状態を繰り返しているだけなのに、振り子のように右から左、左から右へと揺れているだけの自分を、私達は一歩しりぞいて客観的に見ようとしないのです。

それともう一つ、私達はつい、自分は親切で善良でかしこい人間だとばかり、思いたがっています。つまり、自分は片一方の方ばかりに振れている振り子になろうと努力しているのです。

こんな状態から抜け出す唯一の方法は、愛すること、そして、心理的に何ものにもさからわず、抵抗せずに生活するということです。そうすれば、いつか、かたまりやエネルギーの状態から抜け出て、スペースのレベルまで上昇してゆけるのです。スペースレベルでは私達の意識は広がり、愛に満ち溢れています。そして、自分の内に存在する矛盾、対立、逆説さえも認めるということがどんなにすばらしい奇跡を生むか、すぐに理解できるようになるのです。自分で自分のしたい体験を選ぶことができるのも、自分が選んだ体験も、今回は選ばなかった体験も、すべて自分の内に存在しているということを知っていればこそなのです。カルマというのは、昔、自分が行なった行為のつけを支払うということではありません。あなたのバイブレーションがあがるにつれて、過去では避けてきた種類の体験に出会うようになったり、今、あなたが表面意識で欲していることとは違うことにぶつかるようになる、というだけのことです。そんな時、新しい体験に対して心を閉ざしてしまうと、あなたのバイブレーションはまた元の低い状態に戻ってしまいます。しかし、そのあまりありがたくなく感じられる事態を気を落ち着けて見つめ、精神的にその事態のすべてを受け入れて味わい、しかも、そのことを嫌ったり憎んだりしている自分を愛してやりさえすれば、あなたのバイブレーションはさらにあがってゆくのです。

自分の前に現れるあまりありがたくない事柄を上手に扱い、一つずつ愛せるようになってゆけば、そのうち、あなたを悩ませる悪い出来事はどうしてもこの世の中からは消え失せはしないということに気がつくでしょう。でも、もうどんなことが起きても、どうにも救いようがない状態に陥るようなことはなくなってくるでしょう。そのかわりに、イライラしてもどうすればうまく生きてゆけるか、どうやればこの事態を切り抜けられるか、少しずつ自分でハンドルを切れるようになり、ついには、もう何も困ることはなくなってしまいます。自分の感情と自分の意識レベルがどう関連しているかさえわかれば、あなたは自分の気持も体験も、変えることができるのです。

たとえば、誰かと深く愛し合ったあと、あなたの高揚した気分が色あせてきたとします。それは、それまで二人が同じスペースに存在していたのに、二人とも元の低いバイブレーションに戻ってしまったので、感情もしぼんでしまったのだと、理解すればよいのです。それと、低調なムードもあっという間に通りすぎるということさえ知っていれば、ただ不機嫌になったからといって、一生にかかわる重大な決心をしてしまったり、大げんかしたりすることは、まずなくなります。ただ、ゆったりと構え、気持を楽にして、その状態が通りすぎるのを見ていればよいのです。

現在は今までになく、多くの人々が突然わかったと感じて、高揚した気分になっています。そしてそのあとすぐ、また、ふさぎ込んだりするのですが、それも一切、心配したり気にしたりする必要はありません。これは、あなたがもう一段、高いところへ昇ってゆきつつあるサインである場合が多いからです。

ここで、一つ申し上げておきたいのは、私達は自分が安心していられるバイブレーションのレベルに、いつも戻ってゆこうとする傾向がある、ということです。自分が気楽で安住できるレベルといってもよいでしょう。それは、その人が安定していられるレベルであり、自分と同じバイブレーションを持った人達と楽しくやってゆけると感じるレベルであり、しかも、いつかは抜け出さなければならないレベルです。そして、そこから抜け出すためには、心理的にすべてに対して抵抗することをやめ、常に愛を広げてゆくことだけが必要です。

さとりを追い求めたり、もっと幸せになろうともがいていると、その努力の結果を実生活の中に見つけ出したいと思ってしまうものです。それに、日常生活は、あなたの霊的な状態の反映そのものです。あなたの愛が広がれば広がるほど、あなたの人生は変わってきますが、どのように変化するかは、あなたがあらかじめ予想することはできません。実際に起こってくることよりも、それに対するあなたの反応の仕方の方が、ずっと大切な意味を持っているのです。

自分の目指す通りになれば素敵だが、そうならないのも、それはそれでまたよいものだ、という態度さえ持ち続けることができれば、あなたの人生は大丈夫です。そうすれば間もなく、将来何が起こるのだろうかと、あれこれ考えるのがそれほど興味のあることだとは感じられなくなってくるでしょう。愛は次から次へと美しい体験をあなたのために用意してくれます。だから、今あなたの味わっている喜びを一つずつ手放していけば、また次の喜びが訪れるのです。

ここでは、さとりを開いた人はどんな生活をすべきかといった忠告をする気はありません。また、さとりを開いた人の生活がどんなになるか、予告めいたことをいうつもりもありません。今まで説明してきたように、私達が何か一つの状態を作り上げ、それにしがみついて他の可能性に対して自分を閉ざしてしまったら、もうそれはさとりとは別のものになってしまうからです。かたまりのレベルではこの〝別のもの〟はしばしば不快に感じられ、私達はそれを避けようとするために、かえってそこに捉えられてしまいます。私達の生活で、理想的で美しいことはすぐ消え失せるのに、なぜ、みにくいこと、嫌なことばかり続くのかも、これで説明がつきます。

このプロセスがどんなに大変そうに見えても、愛さえあれば、それを克服できます。自分や他の人の存在をあなたが愛すれば愛するほど、すべての人やものがそのままで完全なのだとわかってくるでしょう。そして、一瞬一瞬に、あなたは幸福を感じていられるようになります。美はそれを見る者の目の中にあるのです。そして、その時、あなたも美しいバイブレーションを放っているのです。

第三章——楽しい日々を送るには

楽しい時をすごすのは、ちっとも悪いことではありません。これは、さとりに関する一番大切なメッセージです。

私達は至高の喜び、つまり、神の喜びをすべての感覚で味わうように努力すべきです。高い意識レベルをすでに実現した人々は、私達がこの地上で惨めな生活を送ることなど、望んではいないのです。

天国は今、ここに、あなたの内と外にすでに存在しています。天国に行くために、あなたは身動き一つする必要もありません。このページから目をあげることさえ、しなくてよいのです。ただ、あなたが見たり感じたりするすべてのものが持つ、ダイヤモンドのような完璧な美しさに気がつきさえすればよいのです。そんな簡単なはずがない、と思うならば、今はただ、一瞬一瞬に愛を感じ、いつか自分にもその時がくるのだと信頼していて下さい。

スペースレベルにすでに達した人達は、霊的に成長しようと努力している人達の邪魔をしたり、テストをしたりするようなことはしません。ちょっと見には試されているように見えることはよくありますが、本当は、私達はどんな時でも自分ですべてを決定できるのです。そして、自分の思う通りに宇宙を定義してもよいのです。

あなたが自分自身を愛し、霊的にどんどん高まってゆくのを、スペースにいる方達は幸せそうに見守って下さっています。あなたさえ望めば、この方達はどんなチャンスも、どんな援助も、あなたに与えて下さいます。短いお祈りでも、サンタクロースに手紙を書いてもよいから、自分の望みを伝えればよいのです。苦痛やいらだちは、あなた方に求められていませんそれに、自分が人よりすぐれているとか、よくやっているとか証明する必要もありません。証明など、できることではないのです。あなたのバイブレーションは常に真実を伝えていますから、あなたは決してうそをつくことはできないのです。

そして、愛の翼に乗るのは、いとも簡単なことです。あなたが現実だと思っているものがどんなに真実らしく見えても、また、それがどんなに複雑きわまりない巨大な姿をしていても、実は、あなたは真実のほんの一部しか見ていないのです。ただ、自分自身でいればよいのです。何事にも抵抗せず、とらわれず、すべてを愛すればよいのです。

セックスを楽しむのもちっとも悪いことではありません。それどころか、満ち足りたセックスは霊的なさとりの体験だといってもよいのです。肉体は魂と不即不離《ふそくふり》の関係にあります。人間の体は、さまざまの意識のレベルで振動している、無数の生命のすばらしい集合体です。したがって、深いオルガスムによって、私達はさまざまの愛のレベルを体験することができます。そして、その中には、〝動物的〟な愛と私達が呼んでいる愛も含まれています。愛、すなわち、他の人と同じスペースやバイブレーションを共有することは、私達の存在理由であり、無限の形をとることができるのです。他の体験の場合と同じように、私達はそれぞれ、自分に値するだけのセックスの体験を得ています。そして、それはあなたが、自分と他人に対してどれだけやさしくしているかによって、決まってくるのです。

セックスのエクスタシーとは、より高い意識のレベルで相手と一体化する感覚であるということもできます。そして、愛に百パーセント降服し、相手の不完全さ、違い、そして美しさをすべてそのまま受け入れることが、スペースとなるためにどれだけ大切かを、セックスは教えてくれているのです。

では、どうして禁欲主義が霊的に成長するための方法として推奨《すいしょう》され、しかも、効果があるように見えるのでしょうか。前の章で説明したように、一つの方向ばかりつきつめてゆくと、自分の意図とは反対の状態にゆり戻されることがよくあります。性的な快楽だけに執着していると、禁欲主義が人間の進むべき道であるかのように思えてくるのです。逆に、禁欲主義をとことん追求してゆくと、ついには、エクスタシーの感覚を味わうようになるのです。これは、数多くの聖人達が体験していることです。

同じように、大声で文句をいい続けていると、高次《こうじ》の意識を一瞬のぞかせてもらえることもあります。食事、セックス、人との会話、睡眠などを自分に禁じていると、体がうまく機能しなくなって、天の神様が〝ではちょっと天国を見に来ますか?〟といってきて下さることもあります。でも、こうした瞬間的なひらめきは、本当の光に出合ったということとは違います。でも残念なことに、まだこの程度のスペースの体験しか持っていない人が、今のところ大部分なのです。このようなひらめきは安定性がなく、大いなる神の源へ私達が戻ってゆくための上手な方法とはいえません。こうした否定的な方法で一瞬のさとりを体験しても、そのまま高いバイブレーションのレベルに止まっていることは、不可能なのです。

禁欲主義によって瞬間的にさとっても、結局は肉体のレベルに再び舞い戻ってきてしまいます。もっとポジティブなやり方で、肉体を超えて高く昇っていくようにすべきです。そして、スペースへのポジティブな道とは、愛なのです。すばらしい知恵を持ち、神聖な使命に命をかけていても、自分と他者に対する愛を失っていては何にもなりません。

再びセックスの話に戻ると、愛とは陰陽の概念も、振り子効果も超えたものです。セックスがなぜ、愛に基づいていなければならないかという理由は、ここにあります。しかし、ここでいっている愛とは、単なるロマンチックな激情ではなく、それよりずっと大きく広いものです。それもまず、自分を愛することから始まる愛なのです。自分の気持や行動のすべてを愛しさえすれば、喜びは常にあなたを満たしてくれます。もし、セックスがあまり楽しくないと感じているならば、たぶん、今生か前生かですでに、セックスをあまり追求しすぎたからなのでしょう。あなたの意識を縮こませてしまうと、物事はすべて、セックスでさえも義務的なものに思えてきてしまうのです。

それに、他人が肉欲の喜びにふけっているからといって、批判しないこともとても大切です。人がやっていることを否定すると、その行為を自分にも否定することになります。私達は自分を律する法律を常に自分で作っているのですから、あなたが発するすべての言葉や行動は、あなたがどんな世界に住むかを決めてゆくのです。私達、平等な者同士の間に不可欠な条件は次のようなものです。「あなたが口に出したことは、あなたとあなたと意見を同じくする人達にだけ、有効である」。もう少し詳しく説明しましょう。今、あなたがある人に、「必要以上の援助を君は受け取るべきではない」といったとします。相手はあなたにそういわれても、どういうことはありませんが、あなたは自分の言葉に縛られてしまいます。そして、あなたは人から必要以上の援助を受け取れなくなるのです。あるいは、他の人のセックスの楽しみ方が下品だと非難したとします。いわれた人のセックスの体験は少しも変わりませんが、あなたのセックスの楽しみ方は下品になるでしょう。これこそ、自分の体験を完全にコントロールする、あなたの持つ無限の力なのです。あなたはどれくらい、許され愛されたいのですか。それと同じだけのものを他の人にもあげて下さい。とことん他の人にあなたの愛をあげて下さい。他の人のあなたに対するカルマをすべて許してあげなさい。自分が欲しいと思っているのと同じだけの自由と愛と注目を、他の人にもあげなさい。

どうすれば喜びとエクスタシーを永遠に続けてゆけるかを、音楽は私達に教えてくれます。一般に、さとりの恍惚状態を維持するのは不可能だと思われています。そのような状態は、一瞬のうちにどこかへ消え去り、再び追い求めなければならないと、みんな思い込んでいます。どうしてそうなるかといえば、私達が恍惚状態を手放したくないと思っているからです。そこから離れたくないと思っているからなのです。しかし、音楽を例にとれば、次の音を聞くために、今鳴っている音を放してやれば、バイブレーションは刻々と変化してゆき、私達の喜びはずっと続いてゆくのです。

世界に耳を傾け、批判も偏見も持たずに世界のなすがまま、あるがままにゆだねていると、喜びの一つひとつが無限のハーモニーの中の一つひとつの音であることが、わかってくるでしょう。世界というオーケストラは、聞き慣れたメロディーをくり返しくり返し奏でています。そして、老いた者は立ち上がって床を踏みならし、若者は生き生きと踊り狂っているのです。

第四章——困難に直面したら

話を先に進める前に、今まで述べてきた基本的な考え方について、もう少し詳しく説明しましょう。この本にごく簡単に書かれていることを、全部覚える必要はありませんが、この章の中の「　」の中の文章だけは、ぜひ覚えておいて欲しいと思います。短くてすぐ覚えられる文章ですし、何か精神的に苦しくなった時に思い出すと、とても役に立つからです。いつも心の片すみに置いておいて下さい。

さとりへの道を探り始めたばかりの頃、私はLSDを何回か試しました。ある時、LSDによって、地獄のような幻想の世界に入りこんでしまいました。自分のまわりを見まわすと、そこにいる人達がどんどんしゅう悪になり始め、しなびて青白く、年老いた何とも変てこりんな姿に変わっていったのです。そして突然、私は思いました。「他の人達に愛されたいなんて、どうして自分は思っていたのだろう？　人から愛される必要があるのだろうか？」そして、あっという間に私は天国にいました。

「さからわないこと」

これは、すべてに受身の態度をとりなさいとか、悪いバイブレーションをじっとがまんしなさい、どんな仕打を受けても耐えていなさいなどという意味ではありません。あなたの心の中で、何事にも抵抗するのをやめる、ということです。何にも捉われず、愛に基づいて行動し、自分が気持よく、幸せに感じることをすればよいのです。絶対的によい行動も絶対的に悪い行動も、この世にはありません。愛をもって行動しているかどうかだけが問題なのです。あなたの意識が広がってゆくにつれて、人生は自ずとすばらしいものになります。努力するなんていうことは、必要ないのです。意識を広げてオープンになればなるほど、不愉快な出来事はあなたの意識の中に入ってこなくなります。とても美しい逆説だとは思いませんか？

「今のあなたのままで、できる限り愛しなさい」

この文章は恐怖に駆られたり、正気を失いそうになったりした時に、ぜひ思い出して下さい。紙に書いて自分の部屋の壁に貼っておいてもいいでしょう。自分の見ているものも自分の感情も、どうしようもなくいやで、そんなことを愛するなんて、とんでもないと思うかもしれません。こんなことを愛するなんて、とてもできないと感じるかもしれません。でも、愛すると決心しなさい。うそだと自分で思っても、「私はそれを愛している」と大声で叫んでみなさい。そして、「それを嫌っている自分を愛している」といってみなさい。

「あるがままを愛しなさい」

世界がどんなに見えるかは、百パーセントあなたのバイブレーションのレベルで決まっています。あなたのバイブレーションが変わると、全世界がそれまでとは違って見えてきます。ちょうど、あなたが幸せだと、みんながあなたに微笑みかけてくれるように感じるのと同じです。バイブレーションをもっと上げるためには、もっと愛を感じるだけでよいのです。まず、あなたのネガティブな感情を愛してあげるところから始めて下さい。退屈だったり、鈍感だったり、絶望的だったりする自分を愛するのです。信じ難いかもしれませんが、あなたの頭の中味を変えても、あなたのバイブレーションには何の変化も起こりません。

考え方や、信仰や信条や、行ないや住所や友達を変えても、意識を広げるためには、すべて無駄なことです。

あなたが現在のような状況にいるのは、偶然でも気まぐれでもありません。だから、そんなものを変える前に、あなたの態度を正すべきなのです。そうでないと、いつまでたっても、あなたはうまくゆく場所を追い求めてばかりいて、至福の大海原《おおうなばら》の真只中にいても、それに気づくことができません。

あなたはどこに行っても、あなた自身と共にいるより仕方ありません。禅でよくいわれるように、「あなたが今いるところに平安を見つけられなかったら、どこにさまよって行けば平安は見つかるのでしょう?」この宇宙には、どこへ行こうと、今、あなたがいるところと同じような場所しか、存在しないのです。そして、あなたが変わってゆくべき方向とは、自分自身を、ありのままの自分を、アンプのボリュームをあげていくように、深く掘り下げてゆくことなのです。

「自分を愛しなさい」

でも、愛とは、他の人とスペースを共有するということでしたね。実は、今、私達が自分だと思っているもの——自分の体、心、感情——は、何億という他者を含んでいます。人間のエゴの意識というのは、ちょうどニューヨーク市長みたいなものです。ニューヨークが市長だけでもっているのではないように、エゴだけで、あなたの体や心が維持され、機能しているわけではありません。

私達は一人ひとり異なる存在として、どんなグループからも自由に離れることができます。私達の体を形作っている生命体の集合、つまり肉体から抜け出すことも自由なのです。そして、どこか別のレベルへゆくと、そこでまた、あなたと共鳴している生命体にめぐり合うことができます。

あなたが自分自身を愛する時、実は、あなたは愛となって、無数の存在へと広がっているのです。

そしてあなたが愛を広げれば広げるほど、あなたの内の存在も、まわりの存在も、大きな愛になってゆきます。どんなレベルにおいても、私達はお互いに影響を与えあっているバイブレーションそのものです。幸せなメロディーを奏でれば、幸せな踊り手が集まってくるのです。

別の言葉でいえば、自分を愛するということは、自分が作り出したすべてのものと同じスペースを共有する、ということです。たとえば、自分が考えていることを自分で否定してしまったら、どれぐらいかたまりになってしまうと思いますか?

自分を愛するということは、エゴを甘やかし、巨大化させることとは違います。エゴイズムとは自分のことが大嫌いなのに、自分は偉いのだ、大したものなのだと証明しようとすることです。自分を愛すればあなたのエゴは消え、自分は人よりすぐれているのだなどと証明する必要を、もう感じないですむようになるのです。

第五章——なぜ、私達はここにいるのだろうか？

人間の行動に私達はいろいろな名前をつけて区別していますが、その大部分は拡張と収縮の一般ルールで説明ができます。すでに何回もお話ししたように、このルールは私達の外部で作られたものではありません。自分達はすべて平等なのだと理解することさえできれば、お互い同士の関係の真理が、自ずと明らかになってくるでしょう。この真理を「公平と正義の大原則」と呼ぶことができます。でも、別に他の呼び方をしてもかまいません。そもそもこの生命にみちた宇宙が存在するとすれば、こうあるはずだという道理のことなのです。言葉でこれをあなた方に説明するのは、どうもあまり意味のあることとは思えません。瞑想をしている間に、この聖なる大原則にはっと気がついてすべてを理解してしまうのが、一番よいからです。ここでは、どのように私達はこのルールを体験できるか、ほんの少し述べてみたいと思います。

平等という概念は、ともすれば一番低いラインにみんなを合わせたり、無意味な平均点や中間点を指す場合が多いと思います。私がここでいう平等とは、私達全員が最も高い意識のレベルに至り、純粋なスペースとなって執着もこだわりも捨ててあらゆることを自由に体験し、自分の欲する喜びや幸福感に浸りながら、他のすべての人々と一つになる、ということを意味しています。最高のバイブレーションより少しでも低いレベルでは、量や価値の幻想が生まれ、私達それぞれが持つ愛、知、力に差があるように見え始めます。私達は自分が選んでいるバイブレーションのレベルで、お互い、違うように見えるのですが、本質的には、私達はみな、平等なのです。

でも、どうして私達はこんなかたまりの状態に落ち込んでしまったのでしょう。なぜ、物質的な現実が唯一の現実だ、と思い込むようになってしまったのでしょうか。どうして今まで私が説明してきたスペースの話が、ナンセンスで証明不可能な夢物語のように、聞こえてしまうのでしょうか。証明という点についていえば、物理学のデータを再編成すれば、簡単にスペースの話は証明ができると私は思っています。つまり、今までに得られた物理学のデータを再編し、そこから宇宙的存在としての私達の関係のあり方の法則を推測すればよいのです。それはさておき、ここで、どうして私達人間は、そもそも今のようなかたまりのレベルになってしまったのか、勝手な想像をして楽しんでみることにします。

まず、最も高いスペースのレベルの話から始めましょう。完全に拡張した存在は、まったく抵抗をなくしていますが、同時に何物も彼に抵抗することができません。スペースの人達は、他の存在のすべてを包みこんでいるのですが、誰かが収縮し始めると、その人は収縮の度合がひどくなるにつれ、かたまりとなり、スペース状態の人達から追われているように思います。追われているように感じたり、強制されているように感じるのは、すべて収縮してしまった人の重さのせいです。スペース状態の人には、誰かに何かを押しつけたり、強制したりする気はまったくありません。

私達がそれぞれのレベルで認識している宇宙は、この宇宙を作り出した神の源の中に、初めから純粋概念として、その原型が存在しています。そして、誰かがその中のある局面を拒否すると、私達全体のバイブレーションが低くなってしまいます。これをもっと図式的に説明するために、私達が無数のエネルギー状態の存在だと想像して下さい。そして、私達はプルートというどうもうな犬の概念に無関心でいるとします。私達はエネルギーですから、スペースとして存在している人達よりも重く、かたまりに近くなっています。それで、スペースの存在が私達を圧迫しているように感じられます。そこで、スペースの中での私達は、パッと浮かんではまた消える、花火のようなプルートのイメージに見えているのです。

そして、私達の内の誰かが無関心を通りすぎて、プルートという犬の概念を否定したために、かたまりのレベルまで縮こまったと思って下さい。

エネルギー状態よりももっと重いかたまりの状態になって、私達は自分が否定したものの形として現れざるを得なくなります。そして、プルートという犬が、物質化して現れてしまいます。このようにして、概念のレベル、スペースのレベルで否定されたものが、この物質界に現象として現れてくるのです。

もちろん、実際はこんなに単純にことが起こるわけではありませんが、少しはわかっていただけたのではないかと思います。スペースはエネルギーを追いたて、エネルギーはかたまりを追いつめます。しかし、この反応も、縮こまって重くなった存在がないと起こりません。自分の能力を否定したり、他人の自由意志を否定したりすると、あなたのバイブレーションレベルは低くなり、プルートどころか、その他さまざまな物事を物質的に現出させてしまうのです。真理を否定すると、パンドラの箱を開ける結果となってしまうのです。

だからといって、この地上に悲惨な出来事が起こるのは、自分がそれを否定したからだなどと思い込む必要はありません。ただ、コーヒーを拒否すると、どうしても紅茶やココアの現実に巻き込まれてしまう、ということなのです。何かに直面するのを避けたり、ある種の概念を拒否し、愛するのを拒んだために、あなたのバイブレーションが次第にかたまりのレベルにまで低下し、ついには、今のように肉体を持った存在として現出してしまったのです。しかし、一方では、あなたを強制的にかたまりのレベルにとどめておこうとするものは何もありません。たしかに、他のかたまり状態の人やもの、エネルギー状態にある人やもの、スペース状態の人やものに、さんざんもみくちゃにされているように感じているかもしれません。しかし、それはあなた自身の無知と重さのために、他から押しまくられているように感じているだけです。自分を閉じこめ、盲目になっているからこそ、痛みを感じているのです。痛みとは、他の人達と同じスペースを共有できない、という体験なのです。

しかし、痛みから解放され、もっとかしこくなるためには、ただ、自分の意識に入ってくるすべてのことを受け入れようと思うだけでよいのです。

私達の生活を見まわすと、この否定しては追いつめられる、というプロセスが働いている例は沢山あります。この世の矛盾の中で特に気に障るのは、善意でやったことがうまくゆかないということです。良い人達が良いことをしようとしたのに、結果が裏目に出た、という場合です。平和運動をしている若者達が捕えられる、宗教的な共同体が攻撃される、等々。歴史を振り返っても、心の大切さが強調された時代のすぐ後に、流血や戦いの時代が続いています。どうしてそんなことになるのか、もうそろそろ、私達は理解してもよいのではないでしょうか。

あなたの意識の中にないことを、あなたはコントロールすることはできません。あなたにしっかりと意識で認識できないものがあると、あなたはそれにつまずいてしまうのです。狂暴な人とは、自分が狂暴になることもあり得るということを認めようとしない人です。同じように、暴力の犠牲になっている人々の存在を無視していると、いつかはあなた自身が暴力の犠牲になってしまうかもしれません。どうしてそのようなことが起こるのかわからないので、自分の身に振りかかった時、それを避ける術《すべ》を知らないからです。物質界に現出するすべてのことは意識から始まります。悪いことが実際に起こるのは、私達がその原因を認識しようとしなかったり、他の人が認識しようとするのを邪魔したりするからです。そこから抜け出すためには、さらにその悪いことに抵抗したり、家具を置きかえてみたりするのではなく、その悪いことを受け入れ、愛してあげればよいのです。つまり、そもそも、こうなる前にすべきだったことをすればよいのです。

残念なことに、善意の人達はすでに現出してしまったことを否定し、除去しようと努力します。そしてほとんどの宗教改革は、私達のバイブレーションの働きを否定してしまうものなのです。

私達は悪に対して、何かできるのでしょうか。冷静でありさえすれば、私達は何でもできるのです。そんな時、私が唱えるのは次のような文句です。

「この経験を神が下さったものとして、私は拒否しません」

まず、その悪い出来事をはっきりと見極めてから、自分が正しいと思うことを何でもしてみればよいのです。起こっていることは二次的なことであって、その原因はあなたが低いバイブレーションレベルに落ち込んでしまっているところにあるのです。悪いことを取り除こうと一生懸命に努力すると、もっと深くわなにはまりこんでしまうものです。

あなたの心さえオープンであれば、悪いことに対処するための行動は、ちょっと家にたまった水を流してやるために、溝を掘るようなものです。

病気になったら、お医者さんにゆけばよいのです。あなたを傷つけようとする人がいたら、それを止めればよいのです。不愉快な人が訪ねて来たら、帰って貰いなさい。常にあなたの意識をオープンにして、人生に悪いことが起こるのは自分の愛が足りないからだということを知って下さい。本当の敵は、ただし、敵なんてものがあるとしてのことですが、実はあなた自身の内にいるのです。十分に愛を広げていない、あなた自身こそあなたの敵なのです。これは、あなたが道徳的にみて悪いことをしたので、その報いとして悪いことが起きた、といっているのではありません。悪い出来事と、あなたが道徳的に良いか悪いかは関係ありません。自動車の存在を認めるのを拒めば、いつかあなたは自動車にひかれてしまうでしょう。それは、あなたが罪深い人間だからとか、正気を失っているからというわけではなく、ただ、自動車を見ようとしないからです。だから、自動車が来るのが見えずに、事故に遭うのです。

「私達が考えたことは、実際に起こってしまう。だから、私達は悪いことを考えないようにすべきだ」と考えている人もいます。今まで見てきたように、たしかに思考はスペースのレベルに達した人の場合は非常に力があります。でも、そもそも、なにかの思いを避けて通ろうとしたために、私達は今こうして肉体のレベルに生まれているのです。もし、あなたがネガティブな考えを避けようとすると、遅かれ早かれ、それは物質界に現実となって現れてしまいます。つまり、あなたがネガティブな考え方に抵抗すると、たとえそれを自分の意識の中に持ちこまないように努力しても、それはあなたの人生に実現してしまうのです。

「こんなことが現実に起きているとすると、私の意識はどのレベルにあるのだろう？」みにくいこと、良くないこと、おかしいことに気がついた時は、まず、こう自問自答してみることです。私達は常に、私達と平等な存在の間に生きているのであり、愛の正義は常に完璧です。この宇宙は一つの誤りもない、整然とした愛の無数のつながりが織りなす、見事なタペストリーなのです。そして、あなたが愛を広げ、深めれば深めるほど、あなたは高く昇ってゆきます。人生が終るまで待つ必要などありません。存在としてのあなたの動きは、時間にそっているわけではありません。すべての意識のレベルは、今、この瞬間にあなたに用意されています。あなたはどのレベルへもそのままでゆけるのです。過去も未来も、今ここですべてが起こりうるのです。過去も未来も今、同時にここに存在しており、あなたはじぶんのバイブレーションを変えることによって、すべてのレベルの現実をあなたのものにすることができるのです。

あなた自身でいさえすれば、珠玉《しゆぎよく》のように輝く至福の喜びが味わえます。その時、ありあまるほどのすばらしい喜びと幸せの意識のレベルに、あなたはいるでしょう。不満をいおうが、いやな思いを時々しようが、今、この瞬間の私の最大の喜びは、サンフランシスコの一室で、この本を書きながら、文無しでいるということなのです。
次の言葉を、瞑想をしている時にいってみて下さい。
「私はこの現実を受け入れます。
私はこの現実に一切さからいません。
私はこの現実と一体です。
私は平等の正義を受け入れます。
私は平等の正義に一切さからいません。
私は平等の正義と一体です。」

第六章——自己改革

今までの私の説明を読んで、少しは元気になった方がいるとよいなと思います。悪い考えや気持を自分の中から取り除こうとすればするほど、それは大きく育っていってしまうのです。

私自身、物事に対して好き嫌いがあります。これからの話は、今までよりもっと個人的な見解を述べざるをえませんので、まず、私の立場を明確にしておくべきだと思います。私はなまけ者です。だから、他の人達が熱心に自己改革のゴールを目指して、あまり効果のありそうにない方法で努力したり、私にもやってみろとしつこく忠告してくれると、とても困ってしまいます。そういう人達は、たいていの場合、すばらしく良い人で、もし彼らのやり方でうまくゆくと思えば、私だってぜひ、同じようにやりたいのです。でも一方、たぶん、その人達もどこかで、自分のやっている方法ではうまくゆきそうにないと、知っているのです。そして、私はといえば、みんなが内心知っていることを、わざわざ表沙汰にするおバカさん、というわけです。何かを一生懸命やるというゲームをしていないと、きっとみんな虚脱感に襲われるのではないでしょうか。一方、私は無意味なゲームをするのを拒否するというゲームを、一人でやっているわけですから、たぶん一番無意味なゲームをしているのは私なのかもしれません。

どうも、わけのわからない堂々めぐりになりそうですが、誰もこの章で私が言いたいことについて知っている人がいないようなので、私は勇気を出して書くことにします。

構造体（ストラクチュア）とは、バラバラに分解するのをさけている、複数の生命体の間の関係であると定義します。自分は人間だと思っているあなた自身、構造体であり、何十億という生命体の集まった組織なのです。

構造体のおもしろいところは、成功しても失敗しても、分解してしまうというところです。だから、構造体のままでいたければ、お互いの間に緊張関係、つまり何か問題を維持していなければなりません。

　構造体は構造体として完成した時に崩壊するという考え方は、最初、私にはとても奇妙に思えました。そこで、いろいろ例を集めてみました。隆盛を極めた大帝国はその絶頂期に達して反対勢力がなくなると、分裂するか滅亡してしまいます。莫大な遺産を相続した人は、結局は浪費して自滅してしまいます。天才は気が狂ってしまいます。権力は腐敗します。善人は若死します。宗教は分派や異端に分裂します。地上を支配した生物は、不思議と絶滅してしまいます。細胞は二つに分裂します。魔法使いは気が狂います。

　だからこそ、人々はあまり簡単に手に入る成功や権力に対して、用心深いのです。どこかで、みんな、あまり成功するのはうまくないと自分で限界を設けてしまっています。それは、霊的に意識を高めてゆく場合にもあてはまります。霊的な指導者は、生まれ変わるためにはエゴをなくさねばならない、と説教します。でも、私達はそうしようとはしません。構造体は自分を守りたいのです。

エゴとは、意識の構造体であり、それ自身、危険にさらされている緊張感があると、気分よく感じるものなのです。ネガティブな試練にあっていると、私達は高揚した気分になり、エネルギッシュになります。一生懸命働いたり、きびしい修行をしたり、スカイダイビング、自動車レース、戦争、病気、断食、禁欲、ギャンブル、薬、不注意運転、議論、偏執狂、悪魔や黒魔術、等々、ネガティブな行為はいくらでもあります。

もちろん、あまりにもネガティブな方向にゆきすぎても、構造体は崩壊しますが、私達はなぜか、それはあまり気にしません。私達は生きのびるために危険を想定し、あれやこれや心配し悩むのが好きなのです。もっとも、核兵器とか、細菌戦争のように本当に危険なこととなると、その危険が逆に非現実的なものに思えてきて、私達はそのことを考えるのをさけてしまいます。

普通、自分を定義し、自分が何であるかを規定しようとする時、私達は自分が何に同意していないかによって、示そうとする傾向があります。そして、他の人についていても、その人の悪いところを見てその人がどんな人か決めてしまうものです。自分とその人との違いを、とことん探してゆきます。他の人のよいところはなかなか見えませんし、実は、そこには興味がないのです。

私達人間は、生物の中で唯一、自分で自分の最悪の敵になることによって、ネガティブな緊張を保ってきました。そして、いわゆる〝人間のさが〟なるものを完全に克服できずに、今も相変らず、旧態依然とした同じゲームを続けています。かげろうみたいな人生の問題にあれこれ文句をいって、私達はちゃんと楽しんでいるのです。新聞が売れるのも、そのためです。

ネガティブなことばかり強調していると、結果として、構造体の壁を強化し、エゴを強めてしまいます。霊的に成長するためと称して、ネガティブな行動――たとえば自己否定――をとった場合にも同じことが起こります。どこか奥底で、私達はほとんどの霊的な努力は成功しないということを知っているのですが、そうした試みは尊敬に値すると思い込んでいます。実は私達の大部分は、構造体としての現在の自分への執着を捨てて、もう一つ上の次元にゆくつもりは本当のところは少しもないのです。

では、伝統的な方法でさとりを追求してきた賢者、知者は、どのような意味があるのでしょうか。つまり、ネガティブな方法でさとりを体験したからといって、持続的なスペース状態にいられるようになるわけではないとわかったわけですが、では、ヨガをすると、いったい何が得られるのでしょうか。

ヨガが効果的であるとすれば、それは教師と生徒の間に伝わる愛のためです。それと、生徒が意識を広げたいと思っているからなのです。ただ、チベットの洞穴で修行をするというような体験を追い求めているだけでも、遅かれ早かれ、一瞬のさとりの体験は得られます。しかし洞穴を出て下界に下るやいなや、まわりの人は相変らず前と同じ行動をしているのに気づかざるを得ません。そして、人々がそのように見えるのは自分のバイブレーションのせいであることに気づいて、彼らをそのまま認め愛するようにしないと、あなたのバイブレーションはあっという間に元通り、低くなってしまいます。そうなると、あなたはこの世はいかに邪悪か、都会はいかに腐敗しているか、いかに人々が罪深いか、みんなに向かって、お説教を始めたりするのです。

悪について真剣に考える時は、私達の目に見える現象としての悪のことを考える必要はありません。そのような現象を起こしたもとは、すでにスペースレベルの内に概念として、永遠の可能性として存在しています。悪というものも、概念として常に私達の内に存在しているものなのです。この世でどのように悪を扱えばよいかを学んでおかないと、天国に行ってからも、私達は悪にひどい目に遭わされかねません。

自分は汚れていると信じて、自分を一生懸命に浄化しようと努力したりすると、かえってあなたの霊的な成長は阻害《そがい》されてしまいます。自分の汚れている部分を受け入れ、愛することを、まず、学ばなければいけません。だいたい、私達の永遠に続く旅路を、これからは一回も間違いを犯さず、一点の曇りもなく続けてゆくことができるなんて、本気で考えている人がいるのでしょうか。

一瞬のさとりを体験する時、次のようなメッセージを受け取ることがあるものです。「スタートしたところに戻って、そこをもっと愛することを学びなさい」というメッセージです。

今までの自己変革のやり方には、弱点がもう一つあります。霊的な地位の高低や、さとりの高低があると思っているとしたら、あなたは仲間に対して、愛のない、高慢ちきな態度を示すおそれがあります。宇宙正義は正確に実行されますから、あなたに愛が欠けていると、それはすぐ、目に見える現象として現れます。そこで、あなたは文句をいい始めるのです。「僕はこんなに一生懸命、自分をきれいにしようとしているのに、どうしてこんなことばかり起こるのだろうか？　どうしてみんな、僕のことを嫌うのだろう？」でも、多少汚れていようとくさっていようと、愛ほど清いものはないのです。

自分のエゴを小さくする肯定的な方法は、その原因と一つでいることです。そして、エゴをそのまま愛し、それから、自分で良しと感じる行動を自由にやってみればよいのです。そうすれば、もう失敗することはありません。あなたは今のままで、スペースレベルの交流を体験できるのです。そして、もっと上に行きたければ、そこからさらに昇ってゆけばよいのです。

バイブレーションのレベルをあげ、愛を広げてゆくことが、よりよい方向への変化をもたらすための唯一の方法です。気づきのセミナー、フリーセックス、革命運動、ヨガ、玄米正食《せいしょく》、禁欲主義、ロック、麻薬などのさまざまの方法が効果があるかどうかは、それをしようという本人次第です。その人が本当に興味を持ち、主体的に自分に関わってゆく気があるかどうかが、キーなのです。みんな、なかなか楽しいゲームですが、やっているうちに興味がなくなってきたら、それ以上無理して続ける必要はありません。どんなことでも、あなたが本当に興味とやる気を持っている時でないと、役に立ちません。それに、あまりうまくゆきすぎても、そのことに興味を失ってしまうことがあります。これは、かたまりからエネルギーへ、さらにスペースへと昇ってゆく自分に気がついた時、自分の身に起こっていることを全部受け入れて新しいレベルでの安定点を見出すことができないと、元のところまで戻ろうとするからです。

本当は、自己改革を目指したり、他人を変えようとしたり、その他さまざまなネガティブな緊張を使って自分の構造体を強化するよりも、もっと楽しいゲームが沢山あるのです。

それと、あなたは構造体に頼らなくても生きてゆける、ということを覚えておいて下さい。あなたは宇宙の他のすべての存在と一体であり、エネルギーなのです。得るものも失うものも何もありません。

自分のエゴを否定的な事柄で定義しても、意識してやっているならば、ちっとも悪いことではありません。あなたは自分がやりたいと思うことをすればよいからです。困るのは、自分がやっていることから意識をそらして、気がつかない振りをすること、つまり、無意識で何かをやるということなのです。自分が何をしているのか、自分でわかっていた方が、同じゲームをするにしても、ずっと楽しくできると思いませんか？

他の人に精神的な解決法を勧める時は（精神的でないアドバイスの場合もあてはまりますが）、必ず、その人を楽しく生き生きと感じさせているもの、つまりその人のエゴの構造体を捨てるように要求しているのです。これは危険です。気をつけて下さい！

人間は誰でも、今、そのままで完全なのだということを、肝に銘じて下さい。どんな意識のレベルも、それぞれ完全で完成していて、どこかを変えなければならない理由は少しもないのです。それに、意識がどう変化しようと、その変化も完全で完成していて、意識のレベルがどこか一カ所に固定されていなければならない、ということはありません。

こうしたあらゆる可能性を、次の文章で表してみたいと思います。

「私が意識しようとしまいと、
私は存在するすべてのものの源と一つである。
私が感じていようといまいと、

私は宇宙のすべての愛と一つである。」

第七章——振動数と時間の流れ

自分の発しているバイブレーションを変えることによって、私達の時間に関する体験も変えることができます。これは、ちょうど、世の中に対する自分の見方を変えることによって、住む世界がまったく変わって見えることと同じです。

私達の経験すること、すなわち、考え方、気持の持ち方、対人関係などには、すべてに時間的な始まりと終りがあります。しかし、私達自身に始まりと終りがあるわけではありません。

「スペース」レベルになった時、すなわち、私達の意識が完全に広がった時、時間というものは常に「今」となります。

あなたが、今、湖をながめているとします。しかし、あなたの心に水があるということではありません。

別のいい方をしてみましょう。

今、あなたが、かたい物質を認識したとします。しかし、あなたの心の中にかたさがあるわけではありません。

今、あなたは自分が混乱していると認識したとします。しかし、あなたの認識が混乱しているということではありません。今、自分はおかしくなっているということを認識します。けれども、その認識自体が狂っているということではありません。

今、時の経過を認識します。しかし、そう認識するために時間（時の経過）を必要とはしません。時間は存在していません。

「かたまり」のレベルにおいては、さけられない相互作用が生じ、その相互作用の積み重ねによって、私達は時の経過というものを認識しているのです。意識が広がれば広がるほど、そのような相互作用の中に巻き込まれることが少なくなります。

私達が認識する時間というものが、時計の針の進みぐあいと同じではないことは、日常よく体験しているところです。

マリワナなどの薬物を使った時、時の経過がまったく変わってしまうというようなこともあります。

このようなことはどうして起こってくるのでしょうか？　なぜこのようなことが起きるのかちょっと想像してみることは価値のあることだと思います。というのは、現実の社会に対して、どのように反応したらよいかを判断する前に、自分が発しているバイブレーションレベルがどのあたりなのか、自分でみてみることは、非常に役立つことだからです。

自分の認識力を一つのレーダーだと想像してみて下さい。あなたは波動を発しています。そしてその波動はある対象物にあたってもどってきます。

もちろん、現実はこんなに簡単に言い表せるようなものではないのですが、これで十分に説明できます。

たとえば、誰かが今、テーブルを揺すっています。そして、さあ大変！

テーブルの上のコーヒーカップがずり落ちそうになっています。あなたの認識のバイブレーションが非常にあらいと、あなたの波動はたった三つほどの情報しか送ってきません。カップが最初にあった位置、床に落ちる途中、床にあたってこわれた時の三つです。でも、あなたのバイブレーションが非常にきめ細かいと、あなたはカップがずり落ち始める前に、すでに多くの情報を受け取って、カップがどの方向に動き出すかまで、わかります。そして、時間が十分あって、カップが割れるのを防ごうと思えば、手を伸ばしてカップを取りあげる余裕があると感じるでしょう。

ところが、あなたのバイブレーションがあらいと、物事があっという間に起こるように見えます。ですから、すべてがあまり早く起こりすぎて、コントロールができないように感じます。そのために、物事をコントロールするには、大変なエネルギーがいるように感じられるのです。または、規則正しく行動するように努力して、だらしない人達のことを不快に思うようになったりもします。そして、これこそ、権力闘争の一つの原因なのです。さもなければ、わずらわしいことから逃れるために田舎に引っ込んでみたり、酒や薬に溺《おぼ》れて自分から逃避しようとするのです。

しかし、バイブレーションが細かければ細かいほど、まわりから沢山の情報が入り、物事がゆっくり起こるように見え、あなたは物事をコントロールできるように感じます。そして、あなたが愛を大きくすればするほど、バイブレーションは細かくなります。すると、物事をコントロールする必要も感じなくなって、変化や多様性を恐れなくなるのです。すべての物事をもっと深くゆったりと、いとおしい気持で体験できるようになります。

あなたの意識が広がれば広がるほど、あなたの愛は大きく豊かになり、バイブレーションは細かくなってゆきます。

逆に、この世の中があなたの目にどう映るかで、あなたのバイブレーションのレベルがどれ位か、はっきりとわかります。もし、この世界が美しく安全な場所に見えるとすれば、あなたのバイブレーションはとても細かいのです。もし、世界が陰気で退屈で恐ろしいところのように思えるならば、あなたのバイブレーションはあらいのです。ですから、あなたはバイブレーションのあらい自分を、もっと愛してあげる必要があるというわけです。

自分の内側や外側にあなたが見ているものを変える必要はまったくありません。ただ、あなたのものの見方を変えればよいのです。困難に直面した時、自分の意識を縮こませて、そこから逃げようとしてもムダです。いつかは、今、あなたが転がり落ちたその山に、また登らないといけないからです。遅かれ早かれ、今生でか、それとも他の転生でかは知りませんが、どうせもう一度、てっぺんまで登らざるを得ないのです。私達の本質は、時間を超越しているのです。

みにくいことだからとか、不愉快だから、苦しいからといって、そこから衝動的に目をそらしてはいけません。

そのように嫌悪感をもって物事を見ている自分を愛すると、はっきり決心することが大切です。口に出していってみるのもとてもよいことです。できれば、それが美しく見えるようになるまで、じっと見守っているとよいのです。せめて、それに無関心でいられるようになるまでは、あなたの意識をそこからそらしてはいけません。

とはいえ、自分をテストするために、わざわざ悪いことを探したり、世界中の悲惨な出来事を数えあげたりする必要はありません。ただ、あなたの目の前に悪いことが生じた時は、それから目をそらさずに、できる限り、そのことをよく見つめて下さい。

その出来事と共にいることが大切なのです。何か嫌なことがあると、自分の部屋に閉じこもったり、町を逃げ出したりするものですが、嫌なことから急に逃げようとすると、あなたは低いバイブレーションにつかまってしまいます。そして、一つ、嫌なことから慌てて逃げだすと、次々に同じような嫌な目に遭うものです。嫌なことは次々と起こり、あなたを悩ませ続けます。そして、あなたがそれに耐え、さらには愛することができるようになると、あなたのバイブレーションが上がり、嫌なことは起こらなくなります。

嫌なことでも、目を開いて見すえて下さい。そして、それを愛し、そして抜け出せばよいのです。あなたの意識をもっと楽しいことに向けてもかまいません。自由とはそんな時のためのものなのです。自由意志というものがある限り、あなたがどんな高いレベルにいても、あなたの嫌いなバイブレーションを発している人はいるものです。大切なことは、後味の悪い思いをしないように、その人から遠ざかるということです。

不愉快なことを愛するという体験を二、三回してしまえば、誰かがあなたをひどい目に合わせたり、不愉快な気分にさせたりする前に（すなわち、コーヒーカップが落っこちる前に）、す早くそれを察知して、あまり巻き込まれない内に的確な行動がとれるようになります。

他の人の中に、あまり健全でないものを感じるのは、〝霊的〟に許されないことだなどと思い込まないで下さい。あなたの恐れの対象が現実的なものであれば、それは病的とはいえません。

むしろ、あなたがそれに気がつかないとしたら、あなたの注意が足りないのです。ただ、心をオープンにして感覚をとぎすまし、どんな可能性にもさからわないことです。そうすれば、すべての情報を受け取れるようになって、あなたの人生にもう悪いことが起こらなくなってきます。常に必要な注意を怠らないようにして下さい。また、時には「ノー」といってもよいのです。

他の人があなたに何をしようと、あなたに起こることは、あなたの責任です。外部のいかなる事柄も、あなたの感情や体験を左右することは絶対にありません。あなたの人生の体験は、あなたのバイブレーションに百パーセント支配されているのです。バイブレーションが送ってくる情報と、その情報に対する反応の仕方によって、あなたの人生は決まります。

あなたのバイブレーションが低ければ低いほど、あなたの人生は不愉快なものになります。人と対立し、イライラし、苦痛に満ちた人生になってしまうでしょう。そして、すべての物事は突然、何の前触れもなく起こってくるように見えて、あなたにはどうにも手のほどこしようがなく感じられるのです。そのくせ、どこにも出口が見つけられないので、時間は耐え難いほどに長く感じられるでしょう。

しかし、もし、あなたが自分のバイブレーションを高めさえすれば、いつでも問題を（精神的にも肉体的にも）上手に避けられるようになって、世界が文字通り、よい方向へと変わってくるのです。愛は最も強力な魔法なのです。

地獄でさえも愛することができるようになれば、あなたはもう、天国に住んでいるのです。

第八章——変化のプロセス

私達をこの物質界に縛りつけておこうとするものは何もないというのなら、何が私達を地上に縛りつけているのでしょうか？　どうして、私達は肉体に執着しているのでしょうか？　なぜ、私達はこのバイブレーションのレベルにしがみついているのでしょうか？　どうして、私達は変化を恐れるのでしょうか？

こうした疑問への答を探すために、まず、もう一度、一番高いレベルの話から始めましょう。完全に拡張した状態を言い表す言葉は沢山あります。超意識、充実感、自由、愛、エクスタシー、迷いのない状態、安定、すべてを知っているという感覚、一体感。ここでは、安定という言葉を使って話を進めるのが、一番わかりやすいと思います。

絶対的な安定は、スペースレベルには自ずと存在しています。関わり合っている人々の拡張の度合が同じであればあるほど、人々の間の安定度は増すからです。

しかし、それより収縮したレベルでは、人々の意識が完全にオープンではないので、安定的な状態を持続させるためのコントロールができにくくなります。そして、自分のバイブレーションと違う高さのバイブレーションを持つ人に出合うと、私達は不安定で、不安な気持を感じます。

不安定な関係においては、私達は基本的に次の二つの道のどちらかをとります。一つは、相手と共通のバイブレーションのレベルに達して安定する方向です。もう一つは、分離の方向で、互いのバイブレーションがどんどん乖離《かいり》し、ついには、お互いに互いの意識の外に出てしまって、まったく接触を失ってしまいます。自分と違うバイブレーションの人といると、相手のバイブレーションより自分の方が高くても低くても、私達は不愉快に感じるものです。それで、相手に対して、〝自然の〟反応を示しがちです。つまり、相手が自分よりも低いと、自分のレベルまで相手を引き上げようとして、相手を助けたり、元気づけたりします。一方、相手の方が高いと、まず、相手を引きずり下ろして、自分のところまで相手のバイブレーションを低くしようとしてしまうことが多いのです。つまり、誰かを助けようとしている時は、必ずあなたを引きずり下ろそうとする彼の無意識の努力にさからいながら、あなたは一生懸命やっているということなのです。低いバイブレーションの人は（これは二人の間の関係です。あなたも私も状況次第でこの立場になります）、高いバイブレーションの人のエネルギーを奪い取るように見えます。それも、社会的な礼儀にかなったやり方でやる場合が多いのです。たとえば、大げさに相手をほめたり、バカていねいな言葉であてこすりを言ったり、助けを求めたり、こわがったり、落ち込んだり、逃げ出したり、議論を始めたり、権威を引用したりと、ありとありゆる方法で相手を引きずり下ろし、自分よりエネルギーの高い人を押しこめたり、殺したりしようとします。

もし、そんな目に遭ったら、愛を相手に送り続けなさい。そして、心の中で一切、彼にさからわなければよいのです。低いバイブレーションの人は、あなたを何とか引きずり下ろそうと、もっといろいろ仕掛けてくるかもしれません。しかし、どうしてもあなたがバイブレーションを下げようとしないのがわかり、あなたが無抵抗なのをさとると、彼は自分のバイブレーションを上げて、安定感と安心感を得ようとし始めるでしょう。もう低いレベルにとどまっているのが、苦痛になってくるからです。そして、彼はあなたのレベルまで昇ってきます。もちろん、これは物事がうまくいった時のことで、まずくゆくと、彼はどんどんバイブレーションを下げ続け、ついにはあなたとの関係を絶ってしまいます。しかし、あなたの方で相手が昇ってくるのをあくまで待っていてあげる必要はありません。相手に、あなたを引きずり下ろそうという気持しかないとわかったら、あなたの方から彼との関係を絶ってもよいのです。別の言葉でいえば、「別れなさい」ということです。いつまでも、その状況にかかずらわっている必要はありません。そして罪悪感を感じないで下さい。自然の摂理なのです。

あなたがもし、瞑想などをして高いレベルの存在（精霊）と触れ合いたいと願っているのでしたら、今説明した、異なったバイブレーションの間に生じる相互作用の意味を、しっかりと理解しておいて欲しいと思います。高い存在と触れ合うと、最初、あなたはたぶん圧倒され、追いつめられたように感じ、恐怖におそわれるでしょう。しかし、起こっていることにさからうのをやめ、愛を広げ、高いレベルの存在のバイブレーションレベルまで昇ってゆけば、それもなくなります。精霊はあなたを試してみたり、おどかしたりするつもりはまったくありません。あなたの重さが、こうした恐怖感を作り出しているのです。

何かをひどく恐れている時、そこにあなたのさとりへの鍵がある場合が多いのです。その恐れは、心理的、肉体的、社会的な事柄に対するあなたの執着の強さを示しているのかもしれません。執着と抵抗は、同じことが二つの異なった現れ方をしているだけです。意識を何かからそらすことによってそれに抵抗していると、あなたは恐怖を味わいます。そして、意識を収縮させると、磁石や引力のような吸引力をそれに対して感じるのです。つまり、それが執着です。

私達が霊的に高い存在（精霊）に心を開くのを恐れているのは、このためです。恐怖とは、もっと用心深くして、自分を防御すべきだというサインだと私達は思っていますが、実は、すでにあまりにも用心深く自分を守りすぎている、というサインに他ならないのです。

瞑想をしている時、または精神的に苦しい時に、私は次の文章を唱えると気分がよくなります。

「私は無である。私は空である。私は寂である。

私は他者のバイブレーションにさからいません。

私は他者のバイブレーションの変化にさからいません。」

自分よりも高い存在を見るのを恐れていると、私達は自分より低いものに目を向けて、安心したり、力を感じたりしようとします。私達の生活では、これはいろいろな形をとって現れています。

自分より低い人達に何かしてあげたい、という思いから出た慈善《じぜん》行為は、だいたい不幸な結果に終ります。何か人にしてあげたいという私達の衝動的な感情は、大部分、他の人達の立場を自分勝手に解釈しているところから生じています。その感情自体は結構なことです。スペースレベルでの感情は、信じられないほど豊かで味わい深いものです。しかし、私達の感情が何から生じ、どこへ私達を導いてゆくかをよく注意しておいた方がよいでしょう。自分よりも弱いと感じる相手とつき合うと、私達は自由、力、楽しさといった感情を味わい、それに魅惑されます。また、自分より強いと思える相手を前にして感じる恐怖や落ち込みから、立ち直ることもできます。

「人はみな平等」という原則は、どんな時でも信頼できる指針です。この原則に従ってさえいれば、威張りくさって相手に嫌な思いをさせたり、自分より上だと思う人に変にへつらうこともなくなります。

こうした人間関係の緊張を解決するには、あなたの意識の中に存在する、すべての人やものを、あなたと平等な存在として扱えばよいのです。表面的な目に見える自分と人との差異ではなく、もっと奥深いところをいつも見るようにして下さい。相手が大天才、大秀才、大画家、または、この本みたいに役に立つ本を書く人（？）であっても、それが彼の能力があなたの能力よりすぐれている証拠だと思ったりしないことです。彼がやったことは、あなたにもできるのです。それも、彼を引きずり下ろすのではなく、あなたを彼のところまで引き上げるという意味でです。彼をあまり尊敬したり崇拝してはいけません。あなた方を分けへだてしてしまうからです。彼のあるがままを認め、兄弟として彼を愛し、彼が作り出したものを楽しみ、彼と自分を同じ平等な存在として扱えばよいのです。そして、あなたのまわりのものに対して、次のようにいってみてごらんなさい。

「私とあれとは同じものなのだ。私達はみな、あれと同じなのだ」

一方、ある人が病気や狂気、堕落、悩み、絶望等の症状を示しているからといって、それが彼の能力があなたより低い証拠だなどと、絶対に思ってはいけません。あなたがやっていることは、彼にもできるのです。彼のゲームに、むやみに同情してはいけません。彼がやっていることが、本当の彼だなんて思わないことです。彼をそのまま受け入れ、自分の兄弟として愛し、同情し、彼を自分と同じものとして扱いなさい。彼が今の状態から自分で抜け出せるということを、まず知って下さい。しかも、彼を無視しないであげて下さい。もっとも、彼が同じことばかり、何度もくり返していて、あなたがあきあきしてしまったら話は別ですが。あなたが注目してあげれば、彼は命を与えられたかのように感じるのです。そして、彼は安心し、愛されていると感じて、自分で望みさえすれば、そこから抜け出せるようになります。

また、「私はお前のやっているゲームを信じていないよ」と言葉でいってあげることもできます。それも、彼の傷に手当をし、食事を与え、お金を手渡しながら、そういってあげるのです。彼より自分の方が上なのだ、というように振る舞ってはいけません。あなたは彼より偉いわけでも何でもありません。あなたは彼と同じなのです。罪を見逃し、罪人を愛しなさい。

人があなたに反抗的な態度をとる時は、あなたを恨んだり嫌っているからではなく、彼の苦痛の表現です。どれくらい自分が傷ついているか、どれくらいあなたのやさしさが必要か、あなたに彼は訴えているのです。ただし、犠牲者はみな、自分にその責任がないというわけではありません。カルマ的にいえば、犠牲者はみな、自分でその原因を作っているのですが、そうかといって、私達が彼らを助けるべきではないということではありません。そういう人達と関わりを持ったのは私達の運命であり、彼らに対してどう行動するかで、私達のカルマが決まるからです。でも、低いバイブレーションを助長しないような助け方をしなければいけません。つまり、自分がその立場になった時、人からしてもらいたいと思うことを、その人にしてあげるべきです。そして必ず、彼も自分もみんな平等だということを肝に銘じておくことです。

自分よりすぐれた人、劣る人がいると思っているあいだは、私達は今の自分のバイブレーションのレベルに、必死でしがみついています。そして、気楽につきあえる仲間にしばりつけられているでしょう。自分のこりかたまった考え方、同じような感情、仕事、体の状態にしがみついているより、仕方がないのです。より高いレベルに到達しようとする時、どうしても経験しなければならない不安定な状態がこわいばかりに、私達は変わることをおそれているのです。自分の今の安定した状態を手放したら、もっと低いレベルに落ち込むのではないかと、不安なのです。

しかし、自分よりすぐれた人も劣った人もいないとわかりさえすれば、そのとたんに、あなたは自由に行動し、自由に変化し始めます。どのレベルにいようと、自分は平気なのだと感じられるからです。健康な体、仕事、すぐれた知性、読みたい本、書きたい本などがあってもなくても、あなたはゆったりと落ち着いて、自分に確信が持てるようになるのです。

他の人の意識の広がりには目を向けず、人々の意識の縮まったところばかり注目していると、私達は物質界だけにしばりつけられてしまいます。そもそも、私達が輪廻転生をくり返しているのはこのせいなのですが、実は、毎日の生活でも、私達には同じことがいつも起きているのです。でも、もう、このプロセスを逆転させることだって、あなたさえその気になれば、できるのです。

この世の苦痛を解き放つ方法が、同時にあなたをより高い霊的なさとりへと導いてくれるとは、実にすばらしい真理だと思いませんか。しかも、その方法は実に簡単です。ただ、「さからわないこと」それだけなのです。

第九章——現実とは？

私達は平等な存在から成り立っている宇宙に住んでいるという考え方は、すべての宗教の意味を説明できますし、あらゆる神秘的な思想を包含する概念だといえます。向う側の世界に私達が着いた時に、一番捨てるのが簡単な救命ボートでもあります。この考え方は、この世でどう生きればよいか私達に教えてくれますし、現在の科学的知識を統合し、私達の肉体的な存在が魂の法則の表現に他ならないことを、はっきりと示してくれます。しかも真実とは何か、現実とは何かを私達に明確に理解させてくれるのです。

すべて平等であり、しかも一つひとつが特別である生きとし生けるものこそが、この宇宙における完全な真実であり現実なのです。つまり、私達自身こそ、宇宙だということです。

完全な愛として究極まで広がった時、私達は初めて、現実の真の意味を体験できます。それより低いバイブレーションのレベルでは、私達はお互いの関係の真実や現実を、完全に見ることはできません。

具体的な例をあげて説明しましょう。コンサートが開かれたとします。集まった聴衆の一人ひとりは現実に存在していますが、〝聴衆〟はコンサートが終わり、人々が帰ってしまえば無くなってしまうものです。この意味で聴衆は幻想にすぎません。一時的、部分的、限定的な現実にすぎなくて、自立した真の存在とはいえません。

聴衆がどのように行動するかは、統計的に予測することはできますが、聴衆を構成している個々の人々はそこに留まるも帰るも自由です。これはちょうど、私達の肉体の細胞を作っている原子が、次から次へと出たり入ったりしているのと同じです。この意味で、私達の肉体をも含めて、この世の物質的なものはすべて幻想だということもできます。

私達は現実の存在です。この宇宙にあるすべてのもの——私達、原子の中の粒子、エネルギーやスペースの存在、それらすべてが現実の存在であり、すべてが平等で、すべてが同じものなのです。

しかし、それぞれの間の関係や、それぞれが形作るグループやかたまりは、あるバイブレーションのレベルから私達が見ている幻想なのです。ですから、聴衆が人々から成り立っているのと同じように、幻想は現実に存在するものから成っています。実際、現実に存在するものから作るよりほか、幻想を作り上げる方法はありません。この宇宙には、他の原材料はないからです。

しかし、この世は幻想だというよりも、むしろ、二次的な現実といった方がよいと思います。幻想だといってしまうと、泥棒でも何でもやってよいのかと思ってしまったり、苦しくてどうしようもなくなると、生きているのがわずらわしくなってしまったりするからです。この世界は、私達がある範囲のバイブレーションを発していれば、それはそれで、十分現実だともいえるのです。ただし、それもその特定のバイブレーションに限られている、ということに注意して下さい。

事実とは、部分的な真実です。私達が自分の意識や愛をせばめている時に、他の人達の関係が私達にどう見えるか、その見え方が事実と呼ばれるものです。しかし、事実は真実に根ざしています。私達は、自分の目の前の事柄に関わりを持つもののごく一部しか見えないかもしれませんが、そのもの自体は現実の存在であり、それぞれ、自分で決定力をもち、調和的に行動しているのです。

しかし、事実が愛すべきものであったり、物わかりのよいものであったりする必要はありません。それぞれのバイブレーションのレベルには、それぞれの一組の事実があるのです。真実は誰にとっても同じですが、事実は常に、一人ひとり少しずつ異なっているものなのです。

事実というものは、たしかになかなか魅力的なものです。誰が誰に何をしたとか、何が何をどうしたとかいう、ゴシップみたいなものだからです。事実をいくら沢山集めても、きりがありません。できる限り沢山事実を拾い集めれば、いつかは真実に到達できるのではないかと、時々私達は思ってしまいます。またある時は、自分はその事実に対応したバイブレーションに必死にしがみついているくせに、やっきになってそのレベルの事実を否定しようとしたりします。

幻想も事実も、ある程度の真実を含んでいるという程度に信頼してもよいのですが、常に、ある程度、妄想や錯覚でもあるのです。

錯覚とは、真実を否定することです。私達が物質界に捉われ、より高い現実を否定するのは、それこそ錯覚です。しかし逆に、物質界の現実を否定したならば、それもやはり、錯覚に捉われているのです。この世の現実を否定したからといって、私達は物質界を超越できるわけではありません。この物質界を愛し、物質界を作っている生きとし生けるものの現実を受け入れ、愛さなければならないのです。

さとりの体験を得たにもかかわらず、それが実生活をうまくやってゆくためには何の役にも立たないといって、それ以上、霊的に成長する努力を放棄してしまう人もいるものです。かえって、前よりも、実生活がうまくゆかなくなる人さえいます。LSDを飲んで、この世が蜃気楼《しんきろう》みたいに見えたのに、薬から覚めると、まだ、堅固なかたまりのレベルの現実があるので、おかしくなってしまった人もいます。

さとりの体験が実生活にどう役に立つかというと、物質界の中でも、そこを超えた世界でも、あなたは完全に自由であり、さまざまのバイブレーションレベルに自由に存在することができるということを、はっきりと理解できるからなのです。

それぞれのレベルによって事実は違って見えるということさえわかれば、他の人から見た事実、つまり、他のレベルから見た事実とムダに争わずにすむようになります。

そして、あなたの意識が拡大するに従って、あなたは自分の好きなレベルを自由に選べるようになり、楽しい事実ばかりが見えてくるようになるのです。

あなたよりも力のある存在は、この宇宙にはありません。しかし、同時に、あなたよりも力の弱い存在もないのです。この点こそ、他の人々に対するあなたの行動の基本となるべきものです。よく、私は自分に次のようにいいきかせています。

「人はみな平等だという法則に反するような行動を、私はしません」

すべての存在は自分ですべてを決めていますから、あなたは他の誰のバイブレーションも、当人の意志に反して変えることはできませんし、変える必要もありません。本当は、相手の承諾なしに人を傷つけたり助けたりすることはできませんし、誰もあなたの承認なしに、あなたを傷つけたり助けたりはできないのです。

実際のところ、あなたがもっと高いレベルに達しないと、あなたは自分のバイブレーションという色メガネを通して他の人を見ていますから、自分が相手の何をどう変えようとしているかも、定かではありません。しかし、あなたは自分のバイブレーションレベルは完全に支配しているのですから、自分の人間関係や体験は自由に変えることができるのです。

あなたは、これが現実だと自分で思う世界に住む自由を持っています。そのうえ、いつの時代にも、どのバイブレーションレベルにも、どの組織にも存在でき、またあなたの好きな人と一緒にいることができます。

どんなに落ち込んでいようとも、毎日悲しみに打ちひしがれていようとも、あなたの基本的な自由は、そのまま少しも変わらないのです。

今、あなたのまわりを見廻してみれば、どんなにつらく、悲しいものでも、自分はここにいれば安全だと思える〝現実〟があるものです。私が今ここで話していることの意味がわかるまで、そこにしがみついていてよいのです。人は百パーセント自由なのだと本で読んだからといって、すぐに何かが起こるなどということはありません。

ともかく、あなたは一人ぼっちではありません。あなたをいつもかわらず、やさしく見守り愛している、多くの目に見えない精霊達がいます。あなたさえその存在に心を開く準備ができれば、あなたは彼らの存在をじかに感じることができるのです。そして、彼らはあなたが大きなトラブルに巻き込まれないように守り、自分自身を愛するようになるのを助けてくれています。

あなたが見ている世界は、実は便宜的な現実ともいうべきものです。ある意味では、宇宙はあなたの思う通りにどんなにでもなってくれるのです。あなたは無限の可能性の中から自分の住む世界を選択できるのです。

それに、宇宙とはどんなものか、あなたは自分の好きな宇宙観に基づいて自由に生きてゆけます。いろいろな宇宙観のうちでどれかが特にすぐれていて、他のは間違っているということもありません。一番てっぺんに神様がいて、そこから一番外側の暗闇の中の魂まで一列に順番になっているという宇宙に住むことも可能です。死んだらそれですべてがおしまいという、物質的な世界に住むこともできます。天国と地獄の存在を信じたってよいのです。どんな世界やバイブレーションを選んでも、あなたはそこで自分と同じことを信じている人々と同調して、安定した関係を作り上げます。スペースレベルでは、類は友を呼ぶのです。

あなたはまた、キリストやおしゃか様の意識に自分のバイブレーションを同調させ、慈悲と愛の心を体験することもできます。黒魔術に同調して、ねじまがった奇妙な世界に住むことも、暴力に満ちた世界に住むこともできます。ミッキー・マウスの世界にも、スヌーピーの世界にも住むことができるのです。そして、大淫婦の世界に住み、セックスに酔いしれることだってできるのです。

瞑想中にこうしたさまざまの体験が得られることもあります。その時には、もうこの本のことは忘れているかもしれません。でも、「さからわないこと」という言葉だけは、覚えておいて下さい。この言葉は、瞑想している時のレベルでは、とても重要なことなのです。特に、死ぬ時には、この言葉を絶対に思い出すようにして下さい。

現在のレベルに安住していては、私達はより高く昇ってゆくことはできません。そして愛は私達を他のどんな手段よりも早く、高く導いていってくれます。しかも、私達はまず、今、自分のいるところを愛することから始めなければならないのです。ですから、あまりせっかちにすべてを求めてはいけません。

でも、自分の目の前に見ているものよりもずっと多くのものがこの宇宙にはあると知ることは、すばらしいことではありませんか。そして、あなたの現実をもっと深い喜びと安らぎの中で味わうことができるのだとわかることは、すてきなことではありませんか。

第十章——さとり方について

さとりに至る道はいろいろあります。あるところまでさとりを開いた人は、とかく、自分の方法が唯一正しい道であるかのように、人にお説教したがるものです。

しかし、どんな方法でさとっても、さとりには関係ありません。天国に行ってしまえば、もう、どうやって天国に来たかは気にしないでしょうから、はじめから、そんなことは気にしなければいいだけです。

ただ、ここで私は、どうしてあなた方が自分のやり方でさとらなければならないかだけを、説明しておこうと思います。自分で、これが真実だと思うところから始めて下さい。私自身、さんざん苦しんだり迷ったりした揚句にわかったのは、難しいさとり方を人に勧めるのはよそう、ということでした。難しいことをいっていたら、誰もいつになっても、さとりを開けないからです。

自分のためにも、私は誰にでもできるやさしい道をゆきたいのです。L

ＳＤやその他さまざまな方法でさとりの境地に達するたびに、私はすぐ戻ってきては、霊的な成長に興味のない人を助けようとおせっかいをしていました。でも、誰にでもゆける簡単な道さえ用意しておいてあげれば、あとに残っている人達は、まだ動きたくないという自分の自由意志で残っているのですから、もう、私はその人達のために戻ってくる必要はない、とやっとわかったのです。

完全なさとりがあるのと同じように、そこに達する完全な方法もあります。そして、それはすべての人にいつでも開かれている、やさしい道なのです。愛こそ、さとりへの完全な道です。愛は常にすべての人に開かれています。何者も、愛の道を妨害する力は持っていないのです。

そして、この道をゆくのだと決心しさえすれば、もうそれだけでよいのです。あなたはすべての人に開かれている愛の道を、すでに歩み始めているのです。

この本は第一章で述べた仮説を軸にして、話を進めてきています。私自身、今までに述べてきた、ありとあらゆる意識のレベルを何回も体験してきました。その意味で、私は他の人達とまったく同じです。そして、私が述べていることは単なる想像や空理空論ではありません。どの意識のレベルも、現在の私達の目と鼻の先に存在しています。そして、私は何回も苦しみ抜いてきたからこそ、自信を持ってみなさんにお伝えできるのです。

「理由などいらない。ただ、愛しなさい」

愛することは安全なことです。この宇宙で唯一、絶対安全な行動なのです。できる限り愛しさえすれば、あなたに準備ができた時、すべてがあなたの前に明らかになるのです。

さとりから最も遠いところにいる人とは、人間にはさとりが必要だと固く信じている人です。

最も許され、愛を与えられなければならない罪、すなわち最も深い罪とは、人間を罪人であると信じていることです。

苦しい修行などのネガティブな方法で一瞬のさとりを得た人は、また元の状態に戻ってしまうと、自分は他の人達を救うためにまた戻ってきたのだと、自分をなぐさめたりするものです。でも、そんな時こそ、自分をもっとよく見てみるべきなのです。

人から霊的な指導者とあがめられている人は、次のように自分の胸にたずねてみる責任があります。

「この宇宙にあるすべての概念の中から、どうして私は兄弟達の無知だけに、目を向けているのだろう？　自分は何をしているのだろう？　自分はさとっているのに、他の人は苦しんでいるように見えるのは、いったいどんな基準を自分は持っているからなのだろうか？」

このような疑問が心に浮かんだ時、私は本当に大きなショックを受けたものです。私は次のような答を出してみました。あなたの体の中に起こるすべてのことは、すべてのバイブレーションレベルにおいて生じています。もし、私が己れの知識を愛している深さよりも、あなたが自分の無知を愛している深さの方が深ければ、あなたは私よりも高いレベルにいます。あなたがどれくらい自分自身を愛しているか、外側から判断する術はありません。なぜなら、私はあなたを自分の限られたバイブレーションを通してしか、見ることができないからです。その意味では、私が見ているものは、私自身なのです。

非常に混乱していて、頭が悪く、人を愛していないように見える人でも、その人の意識レベルが自分よりも低いとみなす権利は、私達にはありません。その人は、私達よりずっと深いレベルの愛に気づいているかもしれないのです。人がどのように見えるかというのは、自分のバイブレーションの尺度に他ならないのです。

下品で、ちっともわかっていなくて、バカでうそつきで気違いだと私達には見える人がいたら、その人を愛し、その人に対する自分の感情を愛せるかどうかで、私達が天国にゆけるかどうか、決まります。それだけ、つまり彼らを愛することだけが、私達に必要なことなのです。その愛を私達は好きなように表現してよいのです。もし表現したくなければ、しなくてもかまいません。さらにいえば、相手をどのように扱ってもいいのです。ただ、彼らを見て、ありのままの彼らを愛することだけが大切なのです。彼らが今のままでいる自由を、私達は奪うことはできません。それはちょうど、私達がありのままの自分を愛さなければならないのと同じです。

ここで憶えておいて欲しいことは、人間は誰でも、常に変化していて、それまでこうだと思っていたものとも、将来そうなるかもしれないものとも、現在は違うものだということです。自分が限界をもった存在だと思い込んでいる限り、私達はみんな、同じだけ中心からはずれてしまっているのです。善人か悪人か、正気かそうでないかは、関係ありません。

ある人が高いレベルの意識を持ち、自分は宇宙のどこに住む自由もあるのだと知っているとします。すると、彼は何とかして、なぜ今、この地上に肉体を持って生まれて来てしまったのか、正当化したくなります。一番困ってしまうのは、自分を人々にさとりと浄化と徳をもたらす人間なのだとみなして、自分の欲望を偽装してしまうことです。そうなると、彼自身も含めて誰一人、彼の真の動機やそれがもたらす結果に疑問を持とうとしないでしょう。でも、彼は自分がいっていることを、本当に実行しているでしょうか？　他の人達が、彼のさとりの高さまで達しなくても、それは彼の責任ではありません。そして、このゲームは永遠に続いてゆくのです。自分のバイブレーションのせいで、悪や無知ばかり見えてしまうのだ、という事実を認める気が彼にない間は、このプロセスはずっと続いてゆきます。悪を嫌えば嫌うほど、悪は次から次へと現れてきてしまうのです。人々に物質世界に抵抗しなさいと彼が説教すればするほど、人々を物質世界にしばりつける結果になってしまいます。

そして、私がこの話をしているのも、悪に抵抗する誤りに私が抵抗している結果に他なりません。これこそ、他人の中に見る欠点は自分の欠点であるということの、完璧な例だといえましょう。私達が見ているものは、常に私達自身なのです。他の人の行動を正そうなどということは、無益なことです。自分が何をしているか知っていたら、その人はそんなことはしないに決まっています。だから、わからせてあげたいという、あなたの気持はよくわかりますが、彼もまた、ちゃんと自分でわかることができるのです。もし、彼が自分の自由意志でそこのところを見ないことに決めているのなら、たとえ私達が教えてあげたとしても、やはり、彼はそこを見ようとはしないのではないでしょうか。間違ったことをする自由を彼に許してあげないとすれば、それは私達が間違っているのです。他の人に、無知なままである自由を与えるということは、私達が霊的な成長をとげてゆく道で、最も難しく、最も重要なステップの一つです。具合のよいことに、私達のまわりには、毎日、このことを練習するチャンスがあふれていま す。

他の人より自分はよくわかっていると自認している人や、さとりの体験を沢山持っている人は、いろいろと知っているのですから、もっと詳しく説明してあげて下さい。

この本は私自身の無知を描き、教育するために書きました。そしてさらに、他の人達に強要したりせずに、さとりの体験をどう生かしてゆけばよいか、みなさんに示してみようと努力しました。私達が宇宙から教えてもらったことを他の人々に伝える時には、私達が教えてもらった時に神が下さったのと同じだけの愛を、人々に与えなければいけないのだと思います。私達はみな、霊的な喜びを人々に伝えてゆく伝達装置に他なりません。そして霊的な喜びを味わい続けるためには、常に、その喜びを他の人々に伝えていけばよいのです。

太陽に向かって立つように、より高い光に真正面から向かい合っていると、自分の周囲の人々の姿はゆがんで見えてしまいます。しかし、その光を肩ごしに受け、光が私達を透過して輝くようにすれば、他の人々の美しさを見ることができます。そして、すべての形あるものを通して輝く光を感じ、創造の栄光を知るのです。

そして私はつぶやきます。

「ありがとう、兄弟姉妹。私の意識をここまで導いてくれたことに感謝します」

私達は無限の調和の中に存在し、みんな平等であり、同じものです。そのことさえ知って、それにのっとって生きてゆけば、私達は精妙で霊的な幸せと喜びを享受できるのです。

この世に存在している一つひとつの宝石が、あなたに愛のダイヤモンドの輝きを思い起こさせますように。どんなに小さな愛も、さとりという無限の宝石の刻面の一つであることを、知っていただきたいと思います。

寓話

昔むかし、ある国の宮殿に年老いた王様が住んでいました。宮殿の大広間の金のテーブルの真中には、大きなすばらしい宝石が輝いていました。王様は毎日毎日、その宝石をみがき、宝石はどんどん輝きを増してゆきました。

ある日のこと、泥棒が押し入って、その宝石を盗みました。泥棒は宮殿を逃げ出して、森の中に隠れました。うれしさ一杯になって、彼がじっとその宝石を見つめていると、びっくりしたことに、王様の姿が宝石の中に浮かんできました。

「実はお前にありがとうといいに来たのじゃ」と王様はいいました。

「お前がこの宝石を盗んでくれたお陰で、私はこの世への執着が断ち切れたのじゃ。この宝石を私が手に入れた時、自由が手に入るかと私は思った。ところが、間もなく、私が真心をこめてこの宝石を人にゆずった時に、はじめて私は自由になるということがわかったのじゃ」

「私は毎日、この宝石をみがいてきた。そして今日、やっと、この宝石はお前が盗み出すほどに、美しくなったのじゃ。お前にこの宝石をゆずって、私はやっと自由になれたのだ」

「お前が持っている宝石は英知（Understanding）というものじゃ。隠しておいても、自分はすばらしい宝石を持っていると人にほのめかしても、身につけて見せびらかしても、その宝石の美しさは増さない。他の人々がその宝石に対して持つ認識（Consciousness）こそ、美しさとなって輝くのじゃ。宝石に輝きを与えるものに栄光あれ」

もっとなまけ者の人のために——この本の中からの抜粋

私達はみな平等です。
そして宇宙とは、私達のお互い同士の関係です。

こんなことが現実に起きているとすると、
私の意識はどのレベルにあるのだろう?

さからわないこと。

あるがままを愛しなさい。

今のあなたのままで、できる限り愛しなさい。

私が意識しようとしまいと、
私は存在するすべてのものの源と一つである。

私が感じていようといまいと、
私は宇宙のすべての愛と一つである。

愛という点について、
自分の態度や行動を変えてゆけば、それですべてよいのです。

理由などいらない。ただ、愛しなさい。

すべての意識レベルが、
今、この瞬間に、あなたに用意されています。

私が今かくあるのもすべて私達の内に存在するものの表れである。

どんな方法でさとっても、さとりには関係ありません。

どんなことをしていようとも、
そうしている自分をそのまま丸ごと、愛してあげて下さい。

さとるために前もってしなければいけないことなど、何一つありません。

これを完全に広がった状態で味わうこともできるのだ。

この経験を神が下さったものとして、私は拒否しません。

他の人達に愛されたいなんて、
どうして自分は思っていたのだろう？

地獄でさえも愛することができるようになれば、
あなたはもう、天国に住んでいるのです。

ありがとう、兄弟姉妹。
私の意識をここまで導いてくれたことに感謝します。

訳者あとがき

『なまけ者のさとり方』をもっと早く出そうと思っていたのですが、私が急にひどい気管支炎ゼンソクにおそわれ、随分と出版が遅れ、原作者のタッド、地湧社の増田社長には大変御迷惑をおかけいたしました。ただ全ては偶然ではなく、私達が翻訳をさせていただくために、ひどい病気が必要だったのだと思います。

私にとって病気は大変な修行でした。ただできれば私のように苦しまないで、楽々とさとれるタッド方式を読者の皆様にはお勧めしたいと思います。

そもそも「さとる」とはどういうことなのでしょうか？　本文中にも説明がありますが、このことは人によって、それぞれ定義、解釈が異なることでしょう。私が学んだことことは、「枠をはずす」あるいは「限界を設けない」そして「すべてを愛する」ということだと思うのです。「こうあるべきだ」「何々でなければならない」「これは正しくて、あれは誤りだ」「この方が上だ」「この方が得をする」「勝つ方がいい」というような自分の体の中に深く根をはっている判断基準に一つひとつ気がついて、「この世には何でもあり得る」「良いも悪いもない」「さとってもさとらなくてもいい」「今の自分が最高」「この世はこのままで素晴らしい」ということが体の中から湧き上がってくることではないでしょうか。つまり、すべてを受け入れ、愛する、ということです。そうすると、地獄のような状況にいると思っていたのが、実は天国にいたことを発見するのです。だって、この世には太陽も月も星も、空気もあり、緑の木々もあり、花もあり、鳥は歌い、蝶は舞い、ありとあらゆる食物もあり、本当にすごいところなのですから。

「ハハー、君は現状肯定主義者か」と友人がガッカリして私にいったのです。私はちょっと誤解されているなと感じましたが、「そういうことになるかな」といっておきました。

私が最近学んだことは、「人にうしろ指さされてもいい」ということと、「人に誤解されてもかまわない」ということと「人は死んでも生きてもどちらでもいい」ということでした。随分と誤解されそうな「さとり」です。

最後にひとつ。この世のすべての存在はそれぞれ固有のバイブレーションを持っています。この『なまけ者のさとり方』を是非あなたの身近におくなり、親しい人への贈り物にして下さい。読まなくてもいいのです。また読んで理解できなくてもいいのです。この本のバイブレーションがあなたを変えるでしょう。また、あなたの友人を変えるでしょう。そして、あなた方が変わることによって、世の中がよりよくなってゆくのです。
タッドと僕達のバイブレーションが皆様の心に伝わりますように！

一九八八年三月

山川紘矢
山川亜希子

●著者タデウス・ゴラスについて

一九二四年六月十五日生まれ。ニューヨーク市コロンビア大学卒。両親はポーランド系で、二十世紀初頭アメリカに渡る。タデウスは、ほとんど生涯、出版関係の仕事に従事し、現在も生活のため、出版および著述業に従事している。

著者は今までいかなる点においても、読者を搾取したことはない。いかなる信奉者のグループも、また、いかなる組織も作っていない。

子供時代から日本の美術や文化に深い関心を持ち、日本の時代劇をテレビで見るのが趣味。『なまけ者のさとり方』が日本語になって、日本の人々に読まれることを大変に喜んでいる。

本書は独語、仏語にも翻訳され、英・独・仏語圏でニューエイジのための必読書となる。英語版はすでに五十万部に達しているベストセラーである。『なまけ者のさとり方』は著者のまったくのオリジナルで、いかなる学派、教えからの借り物ではない。

訳者紹介

山川紘矢（やまかわ　こうや）

1941年、静岡県生まれ。1965年東京大学法学部を卒業し、大蔵省に入省。マレーシア、アメリカなどの海外勤務を経て、大蔵省財政金融研究部長を務め、1987年退官。現在は翻訳家。

山川亜希子（やまかわ　あきこ）

1943年、東京都生まれ。1965年東京大学経済学部を卒業。結婚後、夫と共に外国生活を体験する。マッキンゼー・アンド・カンパニー、およびマープラン・ジャパンを経て、現在は翻訳家。

二人の共訳に、シャーリー・マクレーン著『アウト・オン・ア・リム』、パウロ・コエーリョ著『アルケミスト』（以上、地湧社／角川文庫）、ブライアン・L・ワイス著『前世療法』『魂の伴侶——ソウルメイト』『「前世」からのメッセージ』（以上、PHP研究所）、ジェームズ・レッドフィールド著『聖なる予言』（角川書店）、『マスターの教え』（飛鳥新社）他がある。

住所：東京都町田市成瀬台3-25-5（〒194-0043）
ホームページアドレス：http://www2.gol.com/users/angel/

この作品は、1988年4月に地湧社より刊行された。

PHP文庫　なまけ者のさとり方

2004年6月18日　第1版第1刷
2018年3月20日　第1版第13刷

著　者　タデウス・ゴラス
訳　者　山川紘矢・亜希子
発行者　後藤淳一
発行所　株式会社ＰＨＰ研究所
東京本部　〒135-8137 江東区豊洲5-6-52
第二制作部文庫課　☎03-3520-9617（編集）
普及部　☎03-3520-9630（販売）
京都本部　〒601-8411 京都市南区西九条北ノ内町11
PHP INTERFACE　https://www.php.co.jp/
組　版　朝日メディアインターナショナル株式会社
印刷所
製本所　図書印刷株式会社

ISBN4-569-66205-6

PHP文庫好評既刊

前世療法

米国精神科医が体験した輪廻転生の神秘

ブライアン・L・ワイス 著／山川紘矢・山川亜希子 訳

催眠療法中の患者が、前世の記憶を鮮やかに語りはじめた――神秘的な治療効果と前世の存在を目のあたりにした精神科医の衝撃の手記。

定価 本体五六二円(税別)

PHP文庫好評既刊

前世療法2

米国精神科医が挑んだ、時を越えたいやし

ブライアン・L・ワイス 著／山川紘矢・山川亜希子 訳

神秘的とも言える治癒の力を持つ「前世療法」により、輪廻転生や臨死体験の世界が明らかになる。生きる意味と本当の自分がわかる書。

定価 本体五七一円（税別）

PHP文庫好評既刊

魂の伴侶――ソウルメイト

傷ついた人生をいやす生まれ変わりの旅

ブライアン・L・ワイス 著／山川紘矢・山川亜希子 訳

時を越えてめぐり会う運命の二人・ソウルメイト。世界的ベストセラー『前世療法』の著者が明かす、輪廻転生にまつわる、希望の物語。

定価 本体六一九円（税別）